身も心も清める水の力

蹲踞作法

ガーデン・テクニカル・シリーズ ③

龍居庭園研究所＝編

建築資料研究社

はじめに

水は生命の象徴。

地球の表面積の約七割を水が覆っている。

水無くして生命体は誕生せず、生命を永らえることもできない。

大海へ滔滔と流れる河川は、鬱蒼と茂った昼でも暗い森の中の岩と岩との隙間から染み出た一滴の水が源であり、大海への水の旅もここから始まる。そのような岩清水は、夏の真っ盛りでも冷たく、水に触れた途端、空気中の水蒸気を凝固させ、霧状のガスに変化させるほどだ。

森の中の木漏れ日を受け、キラキラと輝く清冽な水の中に手を浸し、両手で水をすくい口を漱（すす）ぐ。この瞬間、身も心も芯から洗い清められ、リフレッシュされ、生き返ったような透徹した心持ちになる。これは観念や理屈ではなく、誰でも体感できることだ。

洋の東西を隔てることなく、水は人間にとって身近な存在でありながら、ささくれだった心をなだめ、清々しい気持ちへと変化させる不思議な液体。インドの聖なる川、ガンジスでの沐浴。キリスト教の聖水と洗礼。日本では神仏に詣でる前には心身の汚（けが）れを清めるために手を洗い、口を漱ぐ。

母なる地球からの贈り物、水。

かつて、「水と安全はただで手にはいる」といわれてきた日本では、水はあまりにも身近な存在だった。かといって現代のように蛇口をひねれば水が出る、もしくはコンビニエンスストアで、硬貨と引き換えに冷蔵庫でよく冷えたミネラルウォーターが飲めるほどではなかった。

沢から水を蜿蜒と引き込んだり、もしくは井戸を掘り、汲み出して水ガメに溜める。過去における水への価値観と畏敬の念は、便利さに慣れ親しみ、水に対する感受性を退化させた現代人とは、比較できぬほど大きかったのだろう。

そのような水に限りない価値観を見い出し、形に表してきたのが茶の湯の世界だろう。特に儀式とさえ思える露地作法では、「三露（さんろ）の打水」というほど水は欠かせない。その中で最も儀式化して見えるのが蹲踞での所作だ。さらに現代の庭が、茶の湯の露地をベースにしながら発展してきたのは、否めない事実だ。

石燈籠、飛石、そして蹲踞。いわゆる庭づくりの《三種の神器》といわれているが、庭づくりにおいてこれほど便利なツールはない。石燈籠を建て、蹲踞を配し、そこまでの伝いを飛石にすれば、ある程度の庭の景が生まれるからだ。その反面、形式に依存しがちで、作庭者の顔が見えない庭も多くなってきた。残念なことに現代、蹲踞が鑑賞本位で、庭に景を添える添景物程度の置物だと信じて止まない作庭者も増えてきたようだ。

《蹲踞》と書いて「つくばい」と躊躇なく読める人も少なくなってきたのが、現代という時代かも知れない。一般に蹲踞と書けば「そんきょ」と読む。これは日本の国技、大相撲の言葉。「そんきょの姿勢」とは、土俵で対決する力士が仕切りを境に向かい合い、つま先だけで座る姿勢だ。茶の湯の世界は「茶道」として社会的に認知されているが、茶席に着くまでのプロセスを知らない人は意外と多い。さらに時代の流れか、蹲踞の意味や使い方を熟知する茶人も少なくなってきた。

そこで本書では、蹲踞の様式からその使い方、流儀によって異なるところや、機械動力を一切使わずに水音を美しい音色へと増幅させる「水琴窟」のつくり方までをご紹介することにした。

蹲踞とは何なのか、その意味を知り、作法を知ることが蹲踞を次世代に継承させていく大きなキーワードだろう。また、蹲踞が過去の遺物ではなく、いまだに進化の途上にあることを肝に銘じて、はじめの言葉に代えたい。

㈲龍居庭園研究所

豊藏　均

身も心も清める水の力 蹲踞作法――目次

デザイン＝岩黒永興／写真＝信原 修・豊藏 均

国内点描

蹲踞

その用と美

写真＝[illegible]原 修

竹林繁二作品＝新川邸（石川県）

心頭をすすぐ

竹林繁二作品
新川邸（石川県）

四方仏を手水鉢にした蹲踞は、眺めるだけでも心境を変えさせてしまうほど深い趣を感じる

岩谷宗雲作品
小島邸（石川県）

樹木の根に抱かれるように存在する手水鉢と地中より湧き出たような役石が、一層、侘びた風情をかもし出す

樹石天然の一境

岩谷宗雲作品
岩谷邸（石川県）

緩い起伏を付けた露地の凹みに手水鉢を配した蹲踞だが、
人の手でつくりながら自然に還ろうとする生命感に侘びを感じる

吉田正吾作品
城官寺（東京都）

構成は簡素でありながら、景趣に富み使い勝手のよい蹲踞を生むことは容易なようで実は難しい

吉田正吾作品
城官寺（東京都）

どちらかといえば陰湿になりがちな露地の雰囲気も、
手水鉢（白の大理石）の選定次第で明るさが加わる

河原 巖作品
奥邸（京都府）

大ぶりな鉄鉢形の手水鉢に見合った鉢まわりには、
調和と均衡という作者の鋭い造形感覚を感じる

山林幽居の体

橋本光雄作品
本多邸（京都府）

鬱蒼と繁る苔の中に浮かび出たように見える飛石と蹲踞が、非日常的な眺めと雰囲気を創出する

安諸定男作品
石坂邸（東京都）

袈裟形の手水鉢を扱い易いように低く据えたことによって、鉢まわりに陰影が生じ、奥深い趣に包まれた

安諸定男作品
児玉邸（神奈川県）

土塀を背景に流れと一体化させた蹲踞の構成。趣向に凝るか凝らないかは、作者の作庭の場数と腕前にもよる

亅丶庵《ほうてんあん》（石川県）

深山の谷間を流れる沢のような中へ手水鉢を配し、蹲踞とした計らいで、ここに身を置く人を心身ともに清める

大北　望作品
志水邸（兵庫県）

石畳の延長上に塩釜形の手水鉢を深く沈めたところに
作者の力量と実用に則った眼力を感じる

鈴木直衞作品
小原邸（静岡県）

造形的に優れた石積を背景に鉄鉢形の手水鉢を配した
蹲踞には、作者の既成の枠を破ろうとする意志を感じる

金綱重治作品
竹本邸（神奈川県）

蹲踞には本来、筧を掛けないという作者だが、手水鉢が時代物であり、水漏れするために筧使いにしたという一例

俗塵を避ける

廣瀬慶寛作品
好日庵（静岡県）

装飾的な要素を省きに省いた結果、清楚でキリッと引き締まった空間が生まれた。だからこそ蹲踞が生きてくる

廣瀬慶寛作品
好日庵（静岡県）

石臼を手水鉢に見立てた例は多い。それだけに作者の眼力と技量が試され、俗塵を避けることが蹲踞の第一の要諦

古川三盛作品
福山邸（奈良県）

軒内の雨落ちに設けた蹲踞。手水鉢は石燈籠の基礎の見立てものだが、周辺の石の扱いが水の清浄さを高める

関東の蹲踞 六趣

野村光宏作品
徳雲寺（東京都）

土塀（自作）を背景にして鮟鱇（あんこう）形の
手水鉢を低く据えた蹲踞には、江戸の匂いを感じる

上野周三作品
東慶寺（神奈川県）

塩釜形の手水鉢を低く据え、扱い易さに心を砕いた蹲踞

高橋良仁作品
高橋邸（埼玉県）

三和土仕上げにした海に布泉形手水鉢を据えた蹲踞

安諸定男作品
川嶋邸（東京都）

手水鉢の形態に合わせ、海を深く取った蹲踞

安諸定男作品
米山邸（東京都）

人工地盤上に設けた蹲踞とは思えない雰囲気をかもし出すのは、場数を踏んだ作者の技である

安諸定男作品
小泉邸（東京都）

二段落としの筧と庭の地形を巧みに活用しきった感覚が、
この蹲踞を生み出した

加賀の蹲踞

五趣

松本啓二作品
中野邸（石川県）

玄関と一対の坪庭に配した蹲踞。独特の形状をした手水鉢と勧修寺形燈籠との取り合わせも良い

市村冨五作品
米田邸（石川県）

飛石を初め、鉢まわりの役石の選定には強いこだわりを感じられて、茶味も増す

立花武志作品
荒木邸(石川県)

古材の切石2枚を前石に転用し、水蛍形燈籠を鉢明かりにした個性的な蹲踞

山本鉄治作品
宮邸（石川県）

今も茶の湯の精神が息づく金沢市内の庭に見る蹲踞で、その手水鉢には石像が彫られている

根布信一作品
大窪邸（石川県）

湧玉（ユウギョクまたはワキダマとも読む）形に梵字を刻んだ手水鉢を据えた金沢市内の蹲踞

伝統とは新しさの積み重ね

鈴木直衛作品
下山邸（静岡県）

「露地に意匠は入れない」という通念に挑戦してこそ、
時代に即した蹲踞が生まれ、受け継がれていく

後藤石水作品
栄旅館(新潟県)

敷地の段差を活用した降り蹲踞。四方仏形手水鉢の配し方と石組に作者の鋭い造形感覚を見る

後藤石水作品
服部邸（新潟県）

形式ばった蹲踞ではなく、茶の湯の精神を正しく認識し、継承してこそ現代の蹲踞が生まれる

蹲踞の基本構成

水をすくい易いように

茶の湯の露地に欠かせないアイテムの蹲踞は、茶の湯の流派や亭主の趣向に応じ、さらに時代性も加わってさまざまな形態に進化を遂げてきた。

茶の湯の草創時代、つまり武野紹鷗や千利休が草庵露地を確立した時代は、蹲踞の形式もなく、湯桶石や手燭石などの役石を組み込んだものはなかったらしい。

蹲踞の石組は、このように草創時代は極簡単なものであったが、露地の形式が進化するにつれて、整備され手水鉢を中心に役石も追加されていったのだろう。

蹲踞の基本は手水鉢から柄杓で水をすくい、手や口をすすぎ、心身ともに清めて席入りすることにある。したがって手水鉢と前石の間は柄杓を右手に持って、水をすくい易いように間隔をおくのが道理である。またこの間隔は何寸何分という取り決めも厳然と存在しているようだが、要は現代人の我々にとってすくい易いことが基本中の基本だろう。

湯桶石や手燭石の配し方も手水鉢より何センチメートル低くとか、位置も流儀によって違うというが、手水鉢の高さや大きさ、形態によって臨機に応じられる余裕が欲しい。

柄杓からの水や手水鉢（筧使いの場合）からの余水を排水するための海だが、一般には小さい手水鉢には海を深く取り、大きい手水鉢には浅く取ることと昔からいわれてきた。

前石も天端が平らで根入りも深く、飛石よりも大きく、景趣に富んでいるものがよいとされてきた。さらに手水鉢が円形であれば方形とし、実用とともに視覚的にもバランスを重んじてきたようである。また、前石の脇に控えとして「除《よ》け石」なる石を据えることもあるが、時には手拭を置く実用もあるからだ。

手水鉢の後方には鉢明かりと称する燈籠も配したが、これは照明器具と解釈したい。

役石の役目

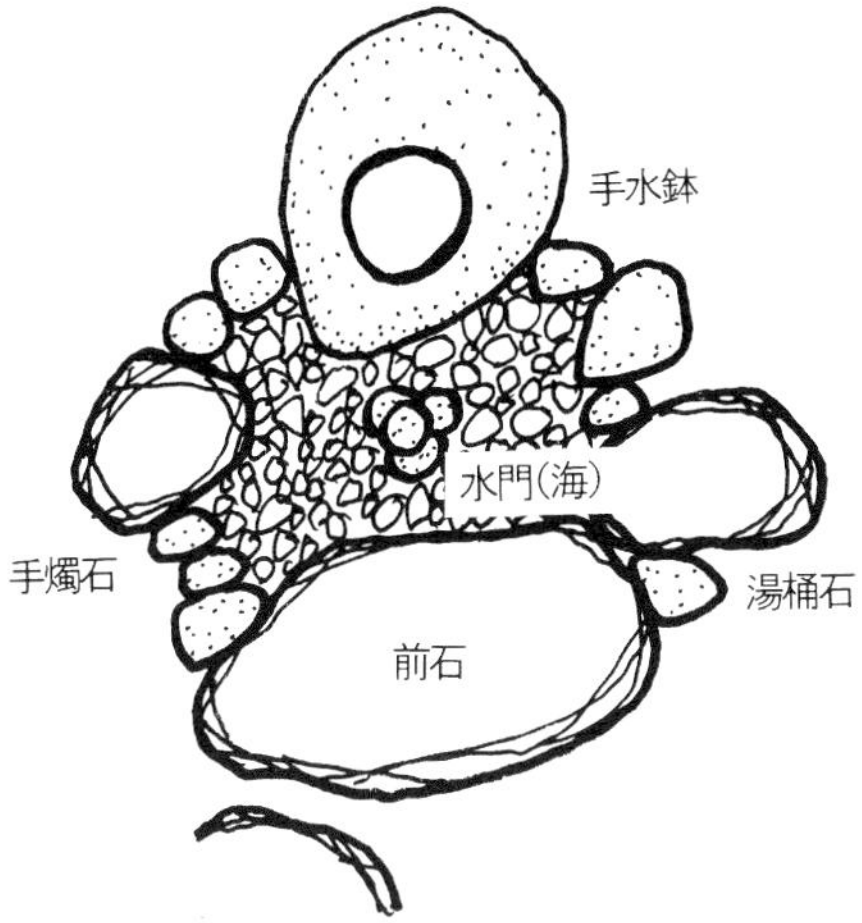

手水鉢(チョウズバチ)＝石に水穴を掘ったもので蹲踞の中心的存在
前石(マエイシ)＝手水鉢の手前に据え、この石に乗り、手と口をすすぐ
湯桶石(ユオケイシ、ユトウセキともいう)＝寒い季節の茶会時に湯桶を置く石
手燭石(テショクイシ)＝夜間に手燭(ロウソクを燈す器具)や行燈を置く石
水門(スイモン)＝前石の前面にあって、水吐(ミズハキ)または海と呼ぶ。
吾呂太石や古瓦を置き、水の跳ね返りを防いでいる

手燭(左側)と湯桶(右側)をそれぞれの役石の上に置いた蹲踞＝宗徧流

向鉢

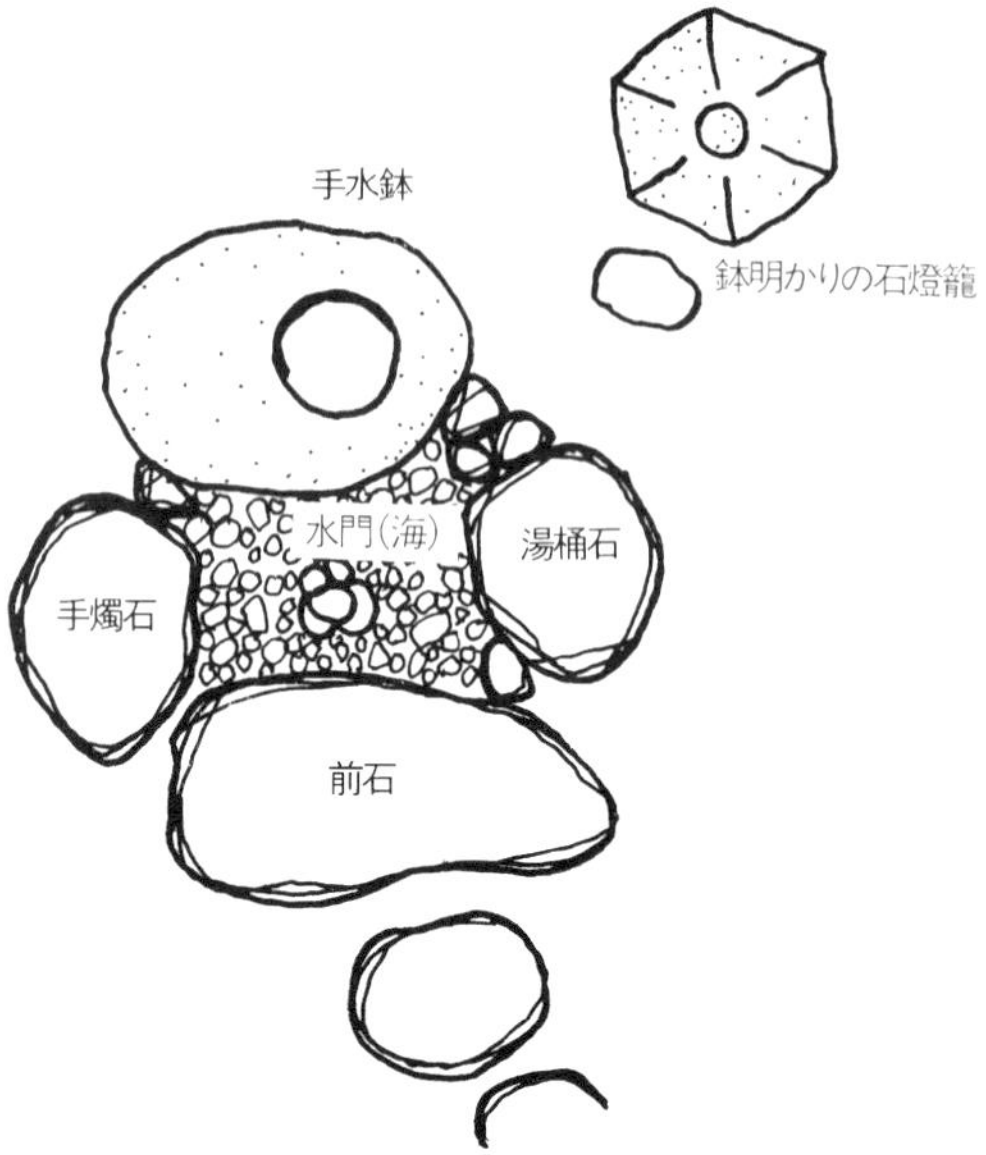

自然石の手水鉢の場合は、水門(海)の正面に用いる

作為を感じさせない草庵式の露地に見る向鉢＝表千家

中鉢

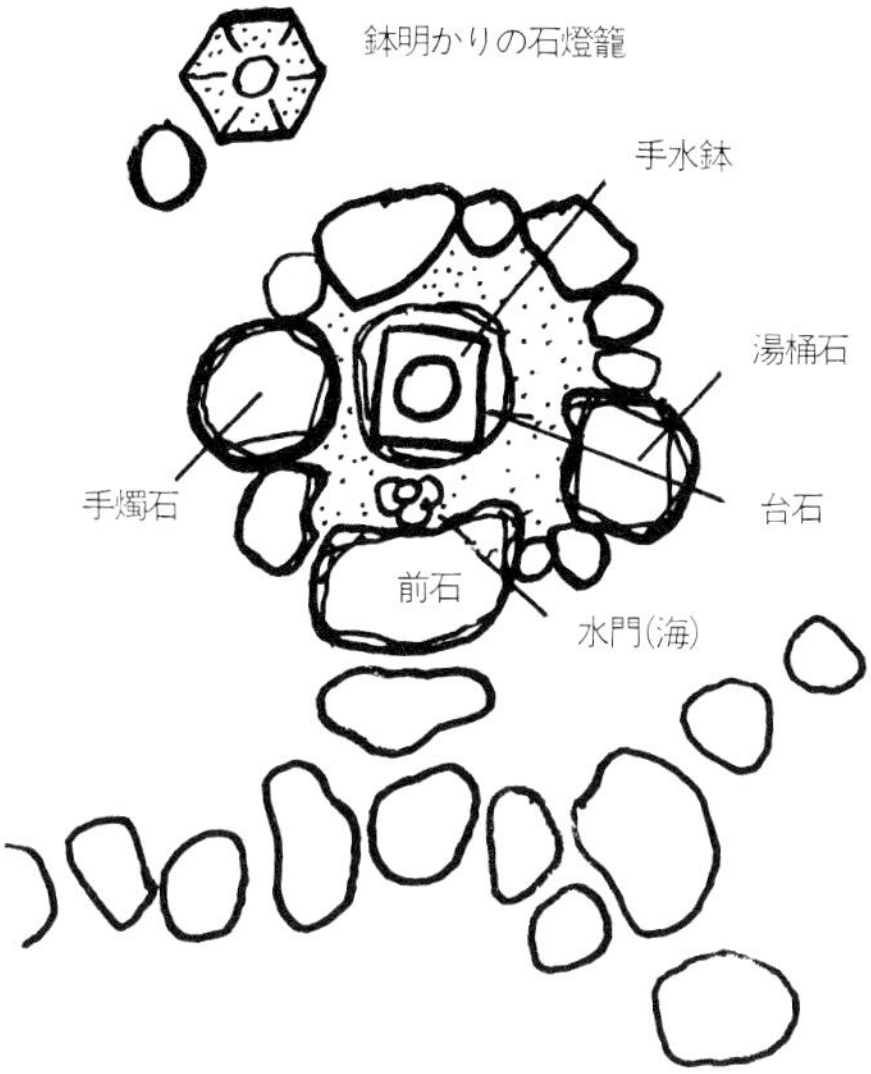

石造物の一部を手水鉢に見立てたものは、水門(海)の中央に配する

水門の中央に四方仏形手水鉢を配した中鉢形式の蹲踞＝武者小路千家

流れの蹲踞

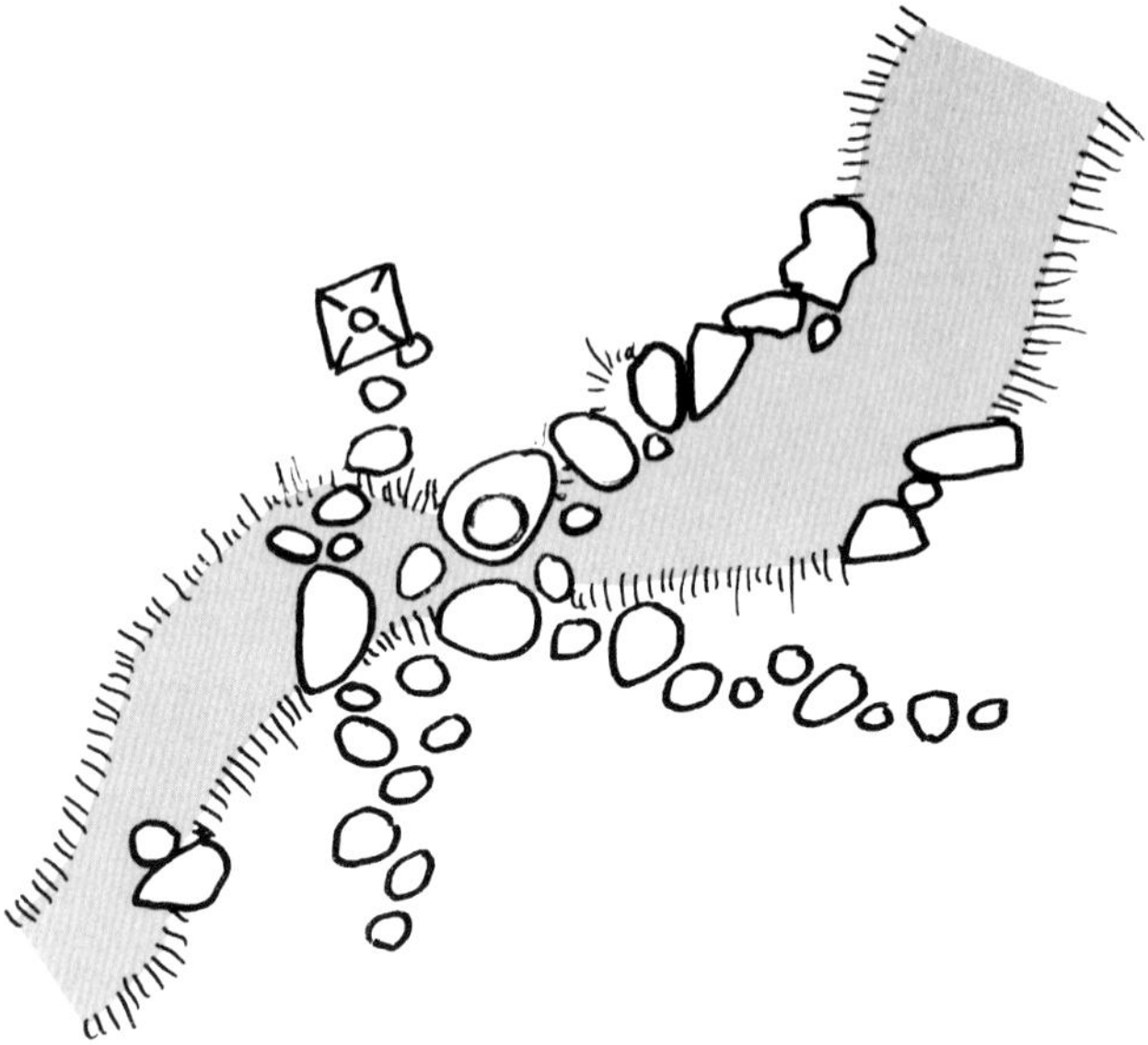

水門を池や流れの中に兼ね、手水鉢をその護岸に一体化させた蹲踞

夏の茶会に涼を呼ぶ流れの蹲踞＝亅ゝ庵《ぼうてんあん》

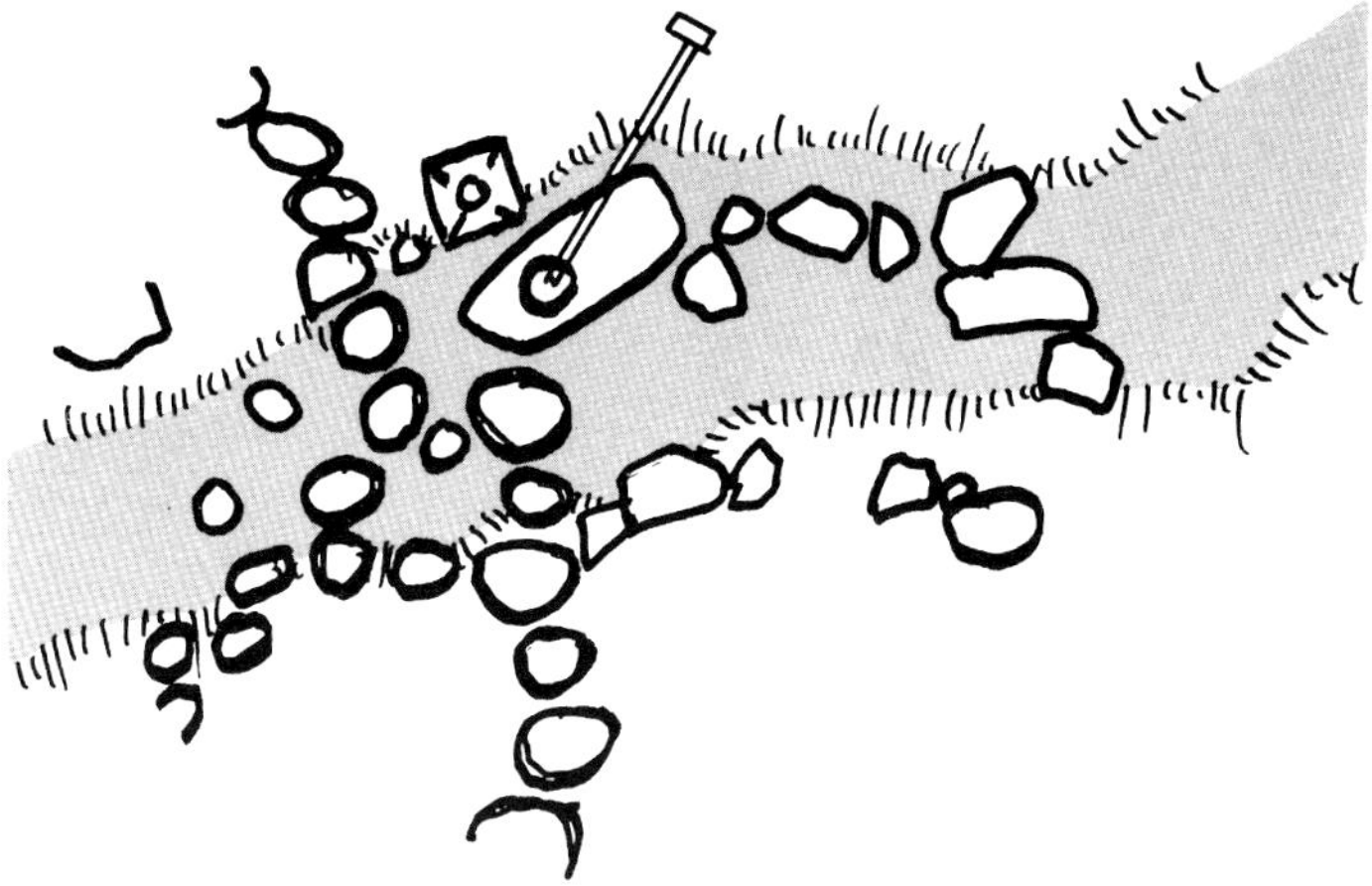

沢飛の蹲踞

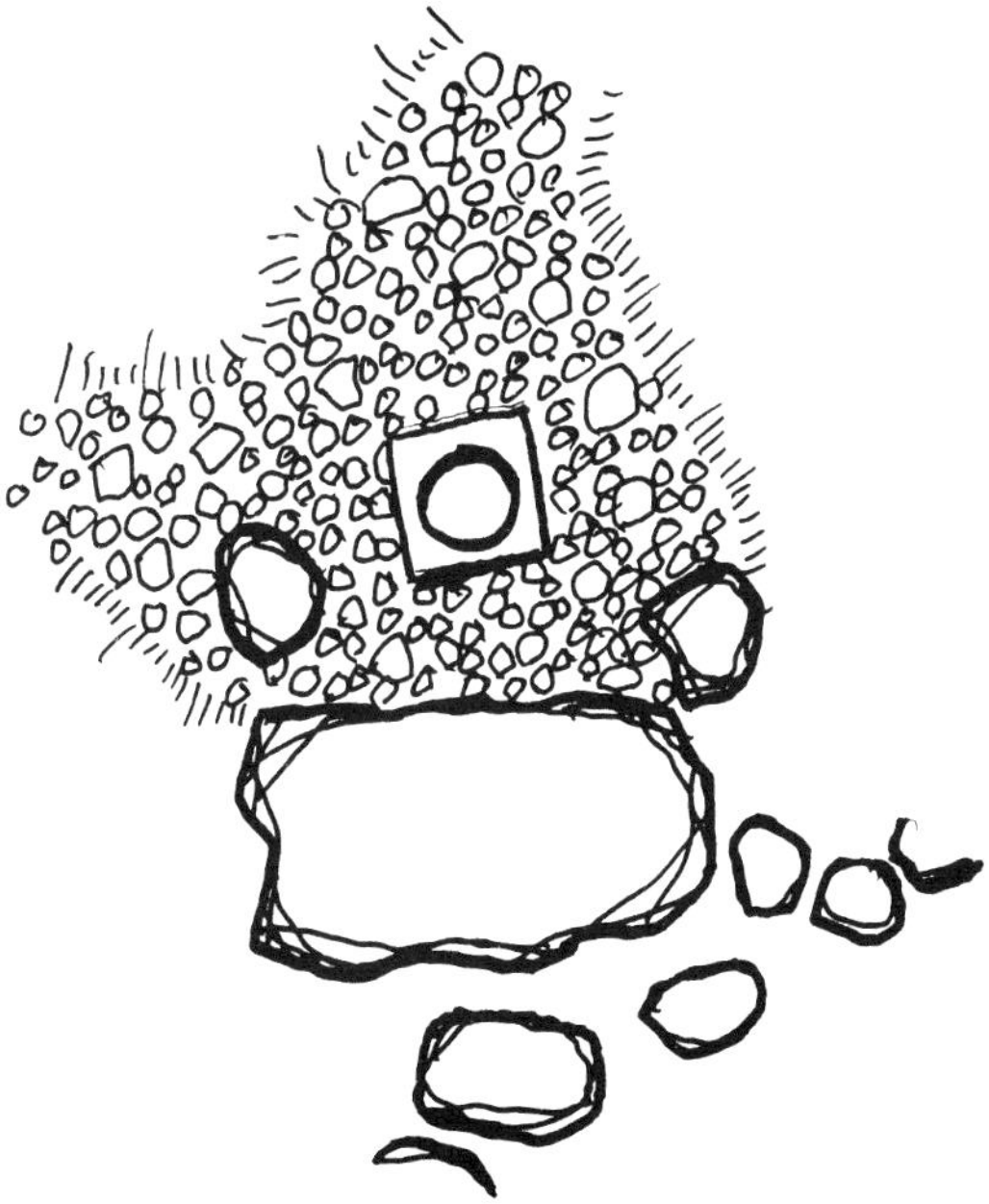

枯流れの蹲踞

降り蹲踞

参考文献＝北尾春道著『つくばい百趣』河原書店刊

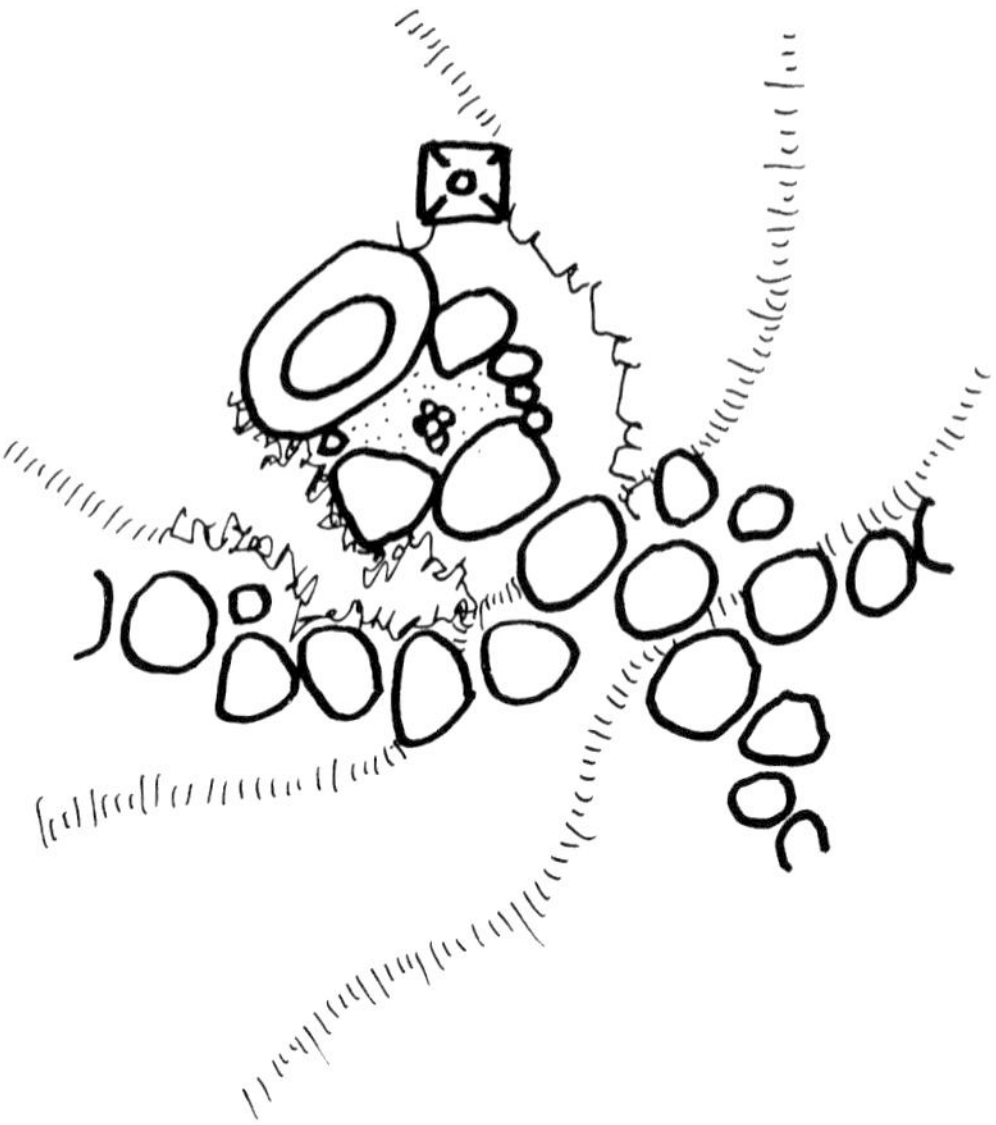

庭の地勢に応じた降り蹲踞

たっぷりと確保した水門(海)と高低差によって見応えのある景を生み出す降り蹲踞
＝中川清志作品・中川邸

蹲踞の使い方

裏千家・武者小路千家・宗徧流・大日本茶道学会による

使えてこそ蹲踞

蹲踞とは実用を伴ってこそ、蹲踞と呼びたくなる。茶事というセレモニーを催すこともなく、単に鑑賞するだけ、つまり庭に景を添えるだけのいわゆる添景物であったとしても、蹲踞と称する以上はやはり利にかなった形にしたい。そうでなければ蹲踞とはいわず、単なる「手水鉢」なり「水鉢」と呼びたい。

ではその「利にかなう」とは何か。それは露地作法と密接に関連した蹲踞の使い方を知ってこそ、「利にかなった」蹲踞につながる。

茶事の際、「三露」の打水とともに主客は蹲踞に対する作法がある。亭主は客が集まる前に「一露」という打水を行う。（一説には蹲踞の前石だけには打水をせず、もし水が掛かっていれば拭い取らなければならないという）客が寄付に揃ったときに亭主は迎付といって、躙口から露地に出て、勝手から露地桶と柄杓、雑巾（但し清潔な）を持って蹲踞に行き、柄杓で水穴に溜まる水を掻き出し、次に露地桶から水鉢に溢れるほどに水音を立てながら注ぎ入れる。（これを瀧落としと呼ぶ）次に柄杓を手水鉢へ手に取り易いように左向きに横に倒して置く。

次に「二露」で使う打水を露地桶に満たし、それから亭主は客（この時点で客は腰掛待合に待機）に席入りの案内の挨拶（主客ともに黙礼のみ）をする。そして客は亭主が席に戻ったのを見計らい、飛石伝いに蹲踞に向かい、正客から順に手水を使うわけである。

手水は先ず初めに左手から清め、右手に移り、二杓目の水で左手に水をあけ、口をすすぐ。柄杓へ直接に口をつけるのは厳禁で、無作法とされている。終わりに柄を静かに垂直に立てながら残った柄杓の水で柄を清める。

以上が大体の蹲踞での基本動作であるが、各流派によって多少の違いはある。

参考文献＝北尾春道著『つくばい百趣』河原書店刊

裏千家の場合

❶ 客は飛石から前石の上に立ち、手にしていた扇子を腰にさし、十分に腰を据えて、用意した手拭を取り出しておき、右手で柄杓に水をすくう

❷ 先ず左手を約半杓の水で清める

武者小路千家の場合

❶ 前石にしゃがみ、右手で柄杓を取る

❷ 柄杓で水をすくう

❸ 柄杓を左手に持ち替え、❷で残った水で右手を清める

❹ もう一度柄杓を右手に持ち替え、水をすくい、左手に水を受ける

❸ 先ず、左手から清める

❹ 続いて右手を清める。このとき、柄杓の柄の方向を変えずに左手に持ち替える

❻ 残った水で、静かに柄杓の柄を立てて流しながら柄を清める。元のとおりに柄杓を手水鉢に手なりに掛け、手拭で手をぬぐって躙口へと進む

❺ 左手で受けた水で口をすすぐ。柄杓に口をつけるのは無作法なので、必ず手で受ける

❻ ❺の余りの水で柄杓の柄を清める

❺ もう一杓水をすくい、左手で口をすすぐ

宗偏流の場合

手水桶を使った正客の例

❶ 正客は蹲踞の前石に乗り、手拭やハンカチを膝に用意し、右手で柄杓を取る

❷ 次に左手に柄杓を持ち替え、中央で持ちながら構える

大日本茶道学会の場合

❶ 手水鉢が石で杓架を使わない場合は、横から柄杓の柄の中央と手前端の中ほどを握る

❷ 左膝の上に手拭をあらかじめ用意し、先ず右手で柄杓にたっぷり水をすくい、左手から清める

❸ 右手の親指を上にして蓋を水平に持ち上げ、左手の柄杓を桶の上に置く

❹ 持ち上げた蓋に左手を添えて桶の右側に立て掛ける

❸ そのまま左手に柄杓を持ち替え、残りの半杓の水で右手を清める

❹ 再び柄杓で水をすくい、左手に半杓だけ水を受ける

❻ 使い終わった柄杓は手なりに桶の上に置く

❺ 右手に柄杓を持ち替え、手と口を清める

『庭』別冊10号《茶の庭》より抜粋

❻ さらに三杓目の水をすくい、その3分の1で口をすすぎ、もう3分の1で左手を清め、使い終わった柄杓の柄に残りの水を流して清める

❺ 左手に受けた水で口をすすぎ、水門の吾呂太石の上に吐く。さらに残った水で再度、口をすすぐ

蹲踞学入門
—その約束事を学ぶ—

吉田正吾

吉田正吾作品＝奥野邸（東京都）

はじめに

お茶の庭、露地のつくり方には〝こうでなければならない〟といった決まりなどありません。ただし流儀やお茶の所作などでの約束事はありますが、あとは各自の自由につくれるわけです。そこで、ここでは露地として必ず必要な蹲踞と、それに関連することを述べたいと思います。

蹲踞の美学

現在の蹲踞は、役石が何かの形にはまりすぎていておもしろくないように思います。それは役石を選ぶときにどうしても同じような石を選んでしまうからでしょう。これは、水鉢なども同じように適当な石がなくなってきたためにもこうなるのかと思います。

お茶事で使う蹲踞の役石には湯桶石と手燭石の二つがあります。流儀によってその石が右か左かの違いはありますが、いずれにしても二石必要となります。

そんなとき、できれば縦と横の目を使ってみたいと思います。二石が同じような筋でしかも横に寝ていたり、あるいは縦に立っていたのでは面白味がありません。いずれか一方でも変化を持たせてみるのもいいのではないでしょうか。

蹲踞には海があります。

この海は狭くならないように注意することが必要です。

前石にかがみこみ柄杓を持って手と口をすすぎ、その水を落とさなければいけないわけで、当然ですが、海にはそれだけの余裕が必要になるわけです。

深さは、水を落として自分の衣服にかからない程度の深さが必要です。特にきものを着ますと、袖などが下にこするようになりますから、それに水がかかるような浅い海ではいけないわけです。また、実際には水がかからなくても、かかりそうだなと思わせるのもあまり感心しません。

しかし、深すぎるのも困りますし、海の深さは、前石や水鉢とのバランスで決めるのがよいでしょう。

それから、海の中に砂利や吾呂太石を入れたり、あるいは三和土のまま見せるようにするなどいろいろな方法があると思います。これもどれでもいいと思います。

城官寺の庭には三つの蹲踞があります。広間の二つには砂利と吾呂太を用いています。そして小間のは三和土のままにしています。三つの蹲踞が同じようではつまらないし、それぞれの格というものを考えたためです。

砂利を海に入れた場合、大きいものを入れると力強い感じになりますし、小粒になるに従って繊細な感じになるような気がします。そのため使い方によって蹲踞の景色が変わってしまいますから気をつけたいものです。

立水鉢の場合は、立って使うため海は深くなければいけませんし、石組もうずくまって使う蹲踞とではまるっきり異なります。まして広間のものですから、侘びたものではなく、ある程度の品というか、格調のある組み方が必要となります。

天のある石を組み合わすとか、水受石も吾呂太でなく、三角形の水切石を使って組みます。吾呂太（自然石）を使うと侘びたものになるかと思います。

また、前石の大きさにも注意したいものです。なるべくたっぷりとした大ぶりな石を用いないと使いにくいし、飛石と同じようなものでは見た目にもよくないものです。前石の上でうずくまり手と口を清め、そして方向を変えるわけですから、その所作が十分にできなければいけないわけです。特に降り蹲踞の場合には、きものの裾にくっつきますから注意したいものです。後方の段と前方の段とが飛石のような小さなものだと、後方の段に完全に裾がついてしまいます。そのため段をつける場合には多少大ぶりにしたほうがいいでしょう。

杓《しゃっ》架《か》

杓架とは、手水鉢の水穴が大きい場合に使用する柄杓を架ける道具です。

まず、この杓架をつくる場合の注意点と、その置き方などの説明をしてみましょう。

(1)柄杓を架けやすいこと

分かりきったことですが、柄杓を架ける道具であるため、まず柄杓を架けやすいことが第一の条件です。

②簡素なこと

蹲踞は、あくまでも水鉢が主となります。そして杓架は従のものですから、水鉢より立派であったり装飾のものであってはいけないわけです。要するに水鉢の風情を妨げないことです。水鉢のよさを消すのではなく、水鉢を引き立てるものですから、あくまでも控え目なものを置きます。

③清潔感のあること

杓架に限らず、水鉢の水を口に含むわけで

すから、清潔でなければいけません。杓架が水に触れたり、あるいは結束した棕櫚縄が水につかっていたりしたら、ちょっといやな感じがするものです。そんなときには杓架の下に台をかませるか、竹串などで下面に突起をつけるような場合もあります。これらはほんの少し高くするだけです。

④水鉢との釣り合いがあること

それぞれの好みや工夫によって一定のものではありませんが、水鉢との釣り合い(長さ、幅、高さ、デザイン)を考えることが必要です。あくまでも決まったものがなく自由につくれるわけですから。

⑤自然石の水鉢にはなるべく使用しない

自然石の水鉢に杓架を置くと、侘びた蹲踞の風情を損いやすいわけです。自然石の水鉢は一番侘びたものですから、そこに杓架を置くと少し格が上がったようになり、それだけ侘びの部分からはずれることとなります。しかし、海をわざと大きくして手前に柄杓を持ってくる場合や、大きな水鉢、小さくても柄杓の置きにくい水鉢などには杓架を置かなければなりませんが、侘びの蹲踞としてはこれらは使いません。ここではあくまで一般的な大きさの水鉢という意味です。

⑥立水鉢の場合は、杓架を使用して石(水鉢)の上に直に柄杓を置かないのが普通

立水鉢は、真の形式では、柄杓は直に置かないで、杓架を使用したほうがよいでしょう。立水鉢はもともと格のあるもので、木を使用した杓架などにすれば、なお格が上がるものです。

⑦水鉢が大きく柄杓を架けるのに遠いときに使用する

⑧手水鉢を使用しないときは、柄杓とともに取り除いておく

⑨客を迎えるときには新しい杓架を使用する

客を迎えるときには四ツ目垣など青竹にするのと同じで、杓架も新しいものに替えます。しかし、開炉前の名残りの茶事では新しくせ

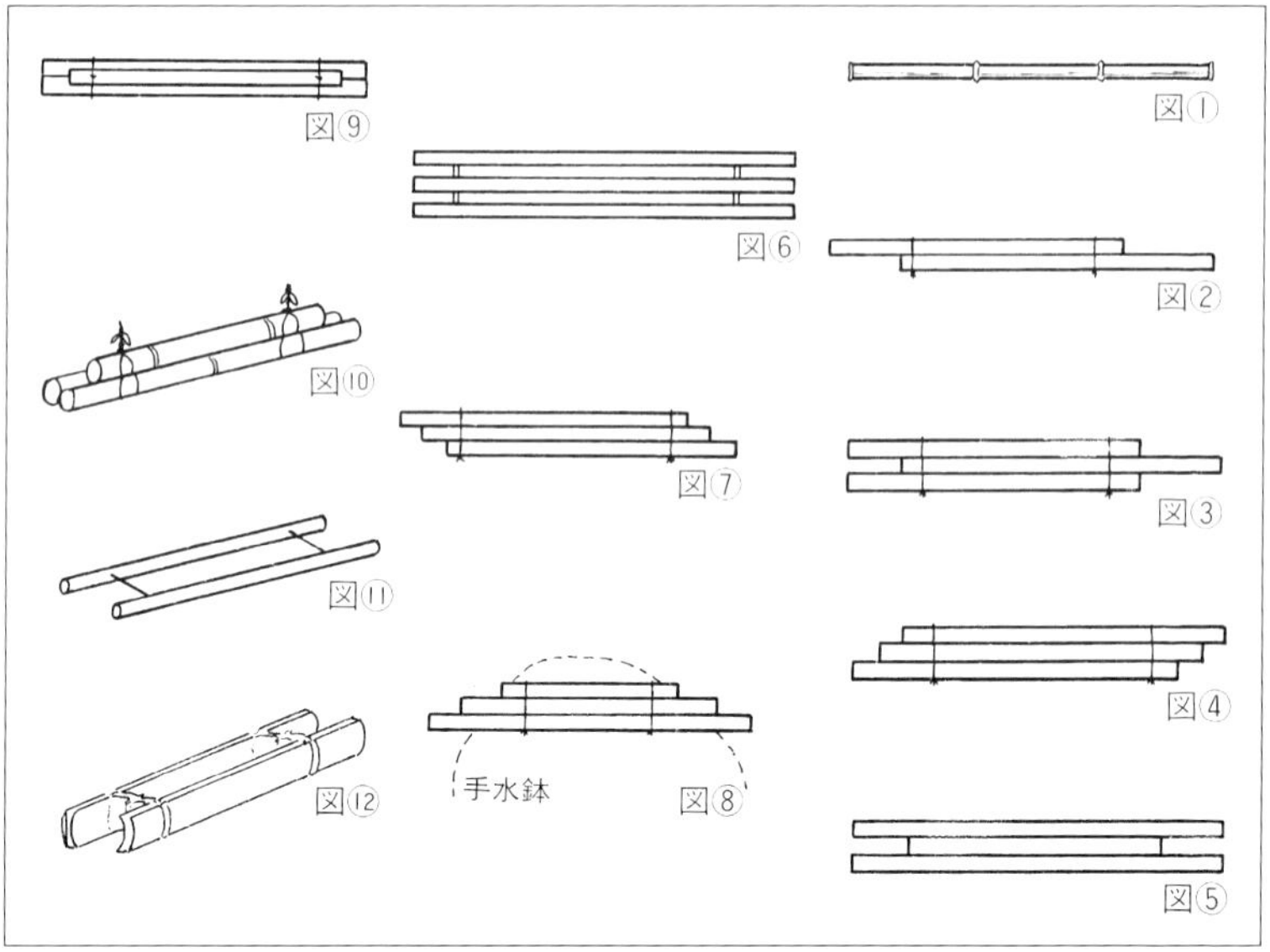

多種多様な杓架のいろいろ

ず、そのまま使用することが多いようです。

名残りの茶事とは、前に使ったものを使うことが名残りなわけですから、灰吹きなどもそのまま使うことがあります。

杓架の種類

杓架の形ですが、これは各自の工夫で自由にしてよいのですが、いくつかその種類を紹介してみたいと思います。

まず、一本の竹を用いたものです(図①)。杓架とは要するに柄杓がのればよいわけですから、一本の竹をそのまま置いただけでも構わないわけです。

ただし、一本ですと転がるため、底を鉋などで削る必要があります。また、この場合には柄杓は合を伏せて置きます。横に置くと転がるためです。

次に二、三本の竹を組み合わせてつくる場合があります(図②~⑨)。

その組み合わせは、三本の長さを揃えたり(図⑥)、一本短かくしたり(図⑤)、端を斜め

(図④、⑦)にしたりするなどいろいろな方法があります。

結束には棕櫚縄や竹串などを使い、結び目はやや上に向け、手前（前石）方向にくるようにします。

また、この場合には必ず細い竹を使います。そして、竹の太さや節の位置に注意します。太さを揃えるか、あるいは太さを違えるか、結束には棕櫚縄を使うか串で固定するかを決めます。

棕櫚縄は侘びで、串はやや格が上がるようです。また、棕櫚縄より串のほうが清潔感があります。木の杓架は棕櫚縄を使わず貫を通して固定します。

侘びた蹲踞にこの杓架を使う場合には、一本の竹を順番に切り、太いものを一番奥に、中ぐらいのものを間に、一番細いものを手前にすると侘びた感じになります。

太さを揃えるとこれより格の上がったものとなります。また、竹は本、末を交互に結束します。

図⑥の杓架は、三本の竹を間にあけて串で留めたもので、鉢が大きいときに使うと水面が見えゆったりとした感じになります。

これらは、流儀によっても異なりますが、柄杓は横にして置くのが普通でしょう。

また、結束する場合には水鉢の大小に関係なく細い竹を使うのが望ましいかと思います。太いと杓架が強くなって水鉢が従となってしまい、細いと水鉢を消さないわけです。

ただし、好みで力強いものを表わしたいとか、ちゃんとした目的や意図があるならそれでも構わないわけです。

三本の竹を重ねて使う場合もあります（図⑨、⑩）。図⑨は細い竹で、⑩は太い竹を用いたものです。この場合柄杓は、のる部分が一本のため伏せて置きます。

太い竹を重ねた場合(図⑩)、結束した棕櫚縄を立てて飾るようにしたものもありますが、あまり高く立てないほうがいいようです。

図⑦の杓架

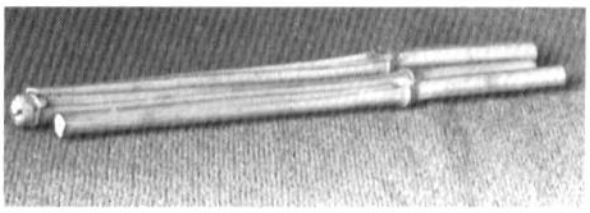

図③の杓架

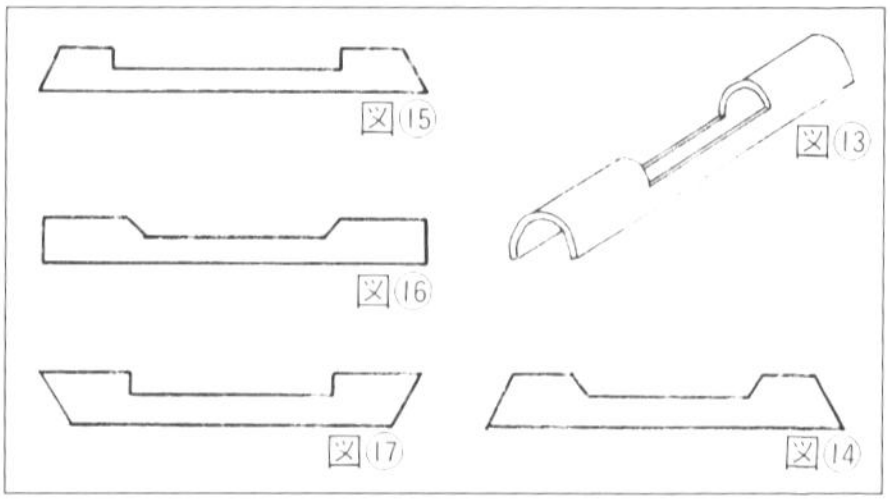

青竹を使った杓架のいろいろ

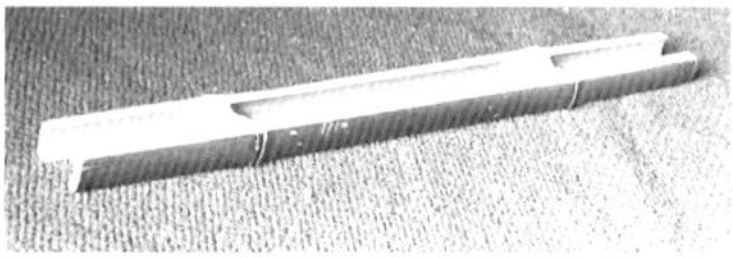

図⑫の杓架

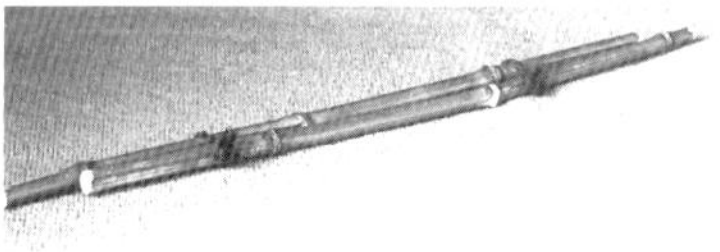

図②の杓架

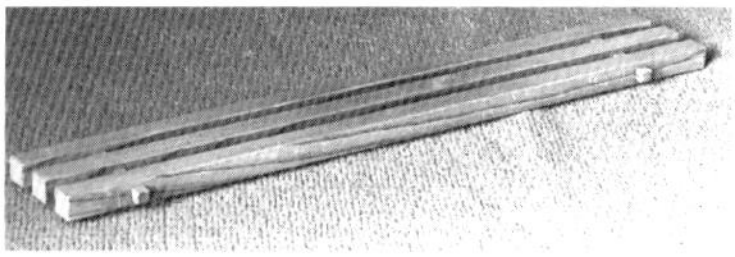

木製の杓架

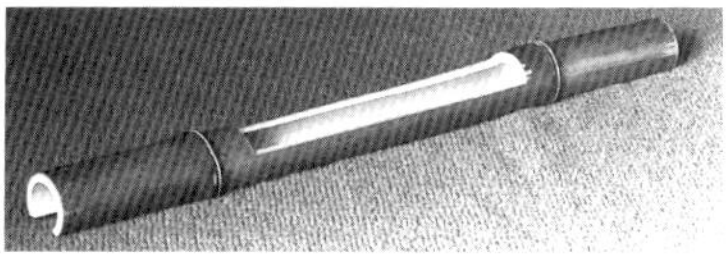

図⑬の杓架

また、この場合、杓架の高さがかなり高くなります。この上に柄杓を置くと柄の部分の角度が強くなりすぎるようです。見ていると柄杓が水鉢から落ちそうで落ち着きがありません。やはり柄の角度が小さく安定感のあるのがよいでしょう。とにかく使う目的を考え、なるべく安定感のあるものがよいかと思います。

また、太い竹ですと水鉢を負かしてしまいます。あくまでも水鉢の姿を損わず、仮に置くといったものが杓架ではないかと思います。お茶事の場合、良さを失わず、高すぎず、結びの飾りすぎにも注意したいと思います。

図⑪は、二本の竹の間隔をあけて竹や木の貫を通して固定したものです。

図⑫は、一本の太めの竹を割いて中央部分を利用したものです。

図⑬～⑰は、一本の太めの竹を使ったもので、転がらないように底を削り、柄杓がのりやすいように中央部を削り取ったものです。

①上から見た木製杓架。左端を斜めにしている

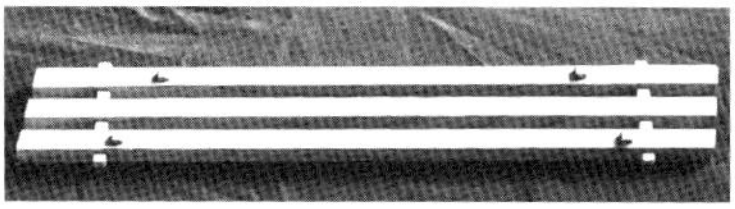

木製杓架の裏側

裏側の突起と貫

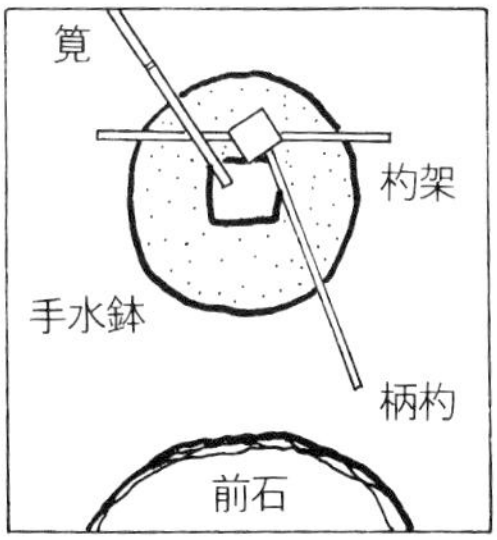

図⑱

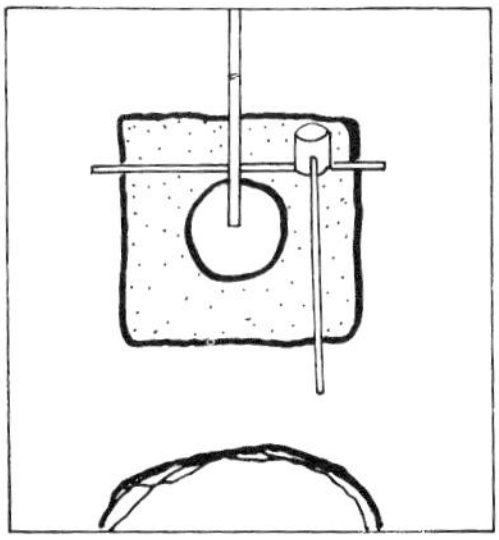

図⑲

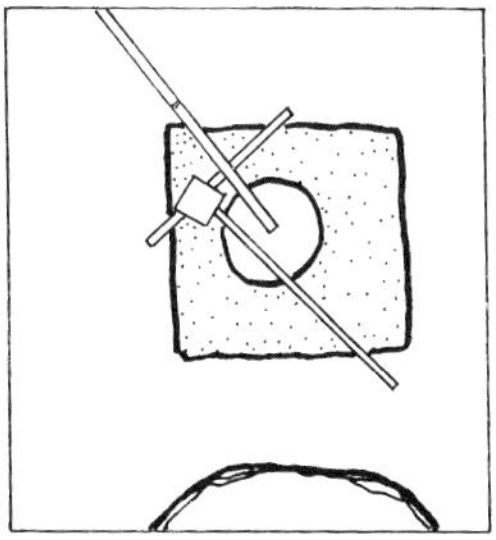

図⑳

これらの違いは、端の切り口を斜めにするか直線にするか、中央部も切り込みをどういう形にするかの違いです。

杓架の置き方

杓架の置き方、これもまた自由です。私が思うには、まず二通りの方法があると思います。それは図⑱〜⑳のように前石に対して水平に置くか、あるいは斜めに置く方法です。

また、最近では筧使いの蹲踞が多くなっています。その場合には筧の方角によって決めてもいいようです。筧が左斜め奥からきているときには、杓架を直角に置き、柄杓が筧と同じ方向を向くように置いたり(図⑳)、あるいは前石に対して杓架を水平に置き、柄杓は直角に置きます(図⑲)。筧がまっすぐきている場合は、杓架は図⑲のように置きます。

これらはあくまでも一つの考えであり、その場その場でいろいろな置き方が出てきますし、自由に置いて構わないわけです。

さて、水鉢の形が変わったら杓架の置き方

木製の杓架を用いた縁先手水鉢＝大日本茶道学会

はどうなるかというと、お茶ではあまり好まれない布泉形などつくった丸いものは、杓架を前石に水平に置き、柄杓は垂直か、斜めに置きますが、私は斜めに置く手なりの形が、自然な所作ができていいかと思います（図⑱）。ただし、格が上がると柄杓はまっすぐに置くほうがいいでしょう（図⑳）。

立水鉢の場合は、杓架を横に置き、柄杓はまっすぐになるのがよいと思います。立水鉢は海も大きいし、真のものだから斜めにするよりこのほうがいいわけです。

話がいったりきたりしますが、丸い水鉢で鉄鉢形などがあります。これも布泉形のものと同じように考えればよいかと思います。

さて、杓架を水鉢の上に置くわけですが、その長さはどうしたらよいかというと、これはその水鉢によって違いますのでこうだとはいえませんが、布泉形や鉄鉢形などの水鉢では鉢より長い杓架を使うほうがしっかり見えます（図⑱）。

杓架の素材

一番最初に触れたように杓架を本で調べると杓架とは柄杓を置く竹を束ねた道具とありますが、竹だけでなくいろいろな素材があるわけです。

立水鉢には木の杓架を使用します。そうするとさらに格が上がり、上品に見えるわけです。写真①のものは丸い水鉢に使うようにした杓架で、三本同じ長さですが味けないため三本をずらして端が斜めになるようにしました。この角度はちょうど置いた柄杓の柄の角度と同じようになっています。こうすると見た目にも上品に見え、丸い水鉢ですからいくらか格好を取ったようなわけです。

しかし、角の水鉢にはちょっと合わないようです。

そして、この杓架には突起をつけてあります。竹串などでもよく、とにかくちょっと浮けばよいのです。こうすれば水面に杓架が触れることもなく清潔感があります。

素材はスギで、貫も角材を用いています。やはり角材を使ったら貫も同じ形でなければおかしいと思います。突起は、ここでは同じスギですが、置くと見えないため竹串でも何でも構いません。

また、貫を両側出していますが、これは出さないとアッサリしすぎるため、少々出してつくってあります。ちなみに突起は丸い水鉢に置くため前後ではずれています。

もし、竹や木がなかったら、侘びたものとか、木の枝でも杓架になるのではないでしょうか。例えばナンテンの太いものでまっすぐな枝を切って、蕨縄でもかければ非常に侘びた感じのする杓架になります。あるいは手にはいりやすいものではケヤキがあります。スッと伸びた細い枝とか、皮つきのものを寸法に切って使ってもいいでしょう。こうすればエゴのような感じになります。エゴは細いものがないためケヤキなどもよいかと思います。

あるいは直線状のクロモジがあればそれで

もよいでしょう。

ただし、これは侘びの蹲踞の場合ですから注意して下さい。

柄杓

柄杓にはスギとヒノキでできたものがあります。うずくまる蹲踞にはスギを用い、立手水鉢にはヒノキの柄杓を用います。

柄杓の置き方は、これまでそのつど触れていますが、うずくまる蹲踞の場合には柄杓(合)を横に、しかも手なりに、斜めに置くのが自然かと思います。柄杓(合)を伏せると高くなりますし、柄を握って水を汲むときどうしても不自然になります。というのも柄杓を横にして置いてあれば、そのまま柄を握って水を汲めるわけで、伏せてあると握る手を少し深く入れないといけないからです。

金だらいの場合は縁が薄いわけですから柄杓(合)を上向きに置きます。いいかえればたらいの縁の上に柄杓をのせるようにします。ちょうど風呂のお点前で、釜の縁に柄杓を架ける所作がありますが、それと同じように置くと思っていただいて結構だと思います。

次に焼物の水鉢ですが、置き方は金だらいのようにしますけれど、今度は柄杓(合)を伏せて置きます。それは、縁が金だらいよりも厚いため、伏せたほうが安定するからです。もし焼物でも縁の薄いものは金だらいのように合を上向きにして置きます。

ですから、石の手水鉢の場合には大体柄杓は横に、金物は上向きに、焼物は伏せて置くのがよいかと思います。このように置けば、柄杓の置き方にも変化がありよいようです。ただし、金だらいなども台の上にのせて用いるようでしたら、杓架を用いて柄杓を置いたほうがよいでしょう。

筧

筧はもともと使わないものです。しかし、現代の事情を考えると、筧があるのが駄目だ

井上卓之作品＝日本料理　鴨川

ともいえないでしょう。

さて、私が水を流す場合、これは筧とは限らず露地に水を流すときの考え方です。

第一条件として庭の上手《かみて》から水を引くようにしています。やはり下手《しもて》から持ってくるより上手からのほうが自然だと思い、そのように水を流しています。

もし山があるなら、もちろんそちらから水は流れてくるわけです。

上手と下手とは、露地へはいるほうが下手で、奥のほうが上手となるわけです。勝手が逆でない限り普通はこうなります。要するに庭全体の上手、高いほうから下手の低いほうへと流すようにするということです。

もし、このようなことがなかったら、それこそ見た目や使い勝手というもので決めればよいと思います。しかし、庭には上手、下手が必ずあるはずです。坪庭みたいに小さな庭でも座敷の関係からあるはずです。

さて、筧ですが、このような考えからいく

と左手から水がくることになります。しかし、左横から筧がくると見た目にも悪く、大体左斜め奥からくるようにします。とにかく下手にならなければよいことで、ときにはまっすぐに筧を設けることもあります(図⑲)。

これで私なりの考えで筧がつけられました。今度はその先の切り口ですが、一番侘びているのは目立たぬよう小さく切ることでしょう。しかし、この切り口もどう切るかというのは自分の好みです。

一般的にいうと、斜めに切るのが多いようです。この切る角度というのも問題になります。切り口をあまり鋭角にすると、筧が戦時中の竹槍みたいに見えておとなしくなく、あまりよくないと思います。

そのため切り口は柔らかく鈍角。鈍角という言い方はおかしな言葉ですが、あまり角度をつけずに切るのがよいと思います。また、まっすぐに切るのもブツッと切れるためもうちょっとと思うこともありますので、これも水鉢と、そして露地全体との形の取り合わせを考えて、先を斜めに切るとよいでしょう。

それから途中まで上半分を切り取って水の流れるのを見せるものもあります。これも先の切り口や、途中の切り口を斜めにするか、まっすぐに切るのかどのようにするか、これもいろいろあるわけです。ただし、これは水の流れる姿がよく見えるため、筧が常に清潔でなければなりません。

筧の続きで駒もあります。これも丸にするか角にするかいろいろありますが、やはり丸いのがよいかと思います。というのは、侘びた感じがするのは角より丸のほうだからです。

筧に竹を使うと必ず節の問題が出てきます。節は先(水鉢)のほうにいくにしたがい強く見えてきますし、奥のほうにあると柔らかく見えてきます。したがって私は柔らかく見せたいために、節をできるだけ後方にしています。このようにしたほうが、少し素直に水が落ちるような気もします。

吉田正吾作品＝城官寺の蹲踞

また、竹のどの部分を使うかによっても変わります。同じ太さの竹でも元のほうを使うか、あるいは先のほうを使うか、これは水の流れと竹の動きの方向を一緒にするのがよいかと思います。

筧は先にも触れましたように、本来はないものです。もしあれば亭主の所作の風情がなくなるし、席入りして半東が水を満たすときの水音など、音の演出というのもなくなるわけです。同時にこの所作の楽しみというのもなくなるわけです。

ただ、稽古や多くの人が席入りするときなどは、いちいち水を満たすわけにもいかず、便宜上、筧を使っていると思えばよいでしょう。ですから、茶事を本格的にする場合には、これらの筧も取ってしまわなければいけません。

ただし私が思うには、新しいものを入れていくのもお茶の一つの方法だと思いますので、一概に筧はいけないとはいえないのではないでしょうか。もし筧があって茶事をするなら、筧のある所作を行なえばよいわけで、これも新しい現代の茶事ということになるのではないでしょうか。

手水鉢

先程は蹲踞全体の話をしましたが、ここでは手水鉢に的を絞ってみたいと思います。

手水鉢にもさまざまな形があり、その素材もいろいろありますが、その中でも自然石の手水鉢が一番珍重されています。それは自然石だと侘びた蹲踞になるからでしょう。

さて、お茶では布泉形など有名な手水鉢などをまねてつくったものは、あまり好まれていません。

それらは独創性もなく、どこそこのイミテーションということがハッキリしすぎ、しかもどこの庭を覗いても、どこの庭石屋さんに行っても、ゴロゴロあるわけで、そんな意味で嫌われています。

要するに他の露地にはないオリジナルな、自分の露地にしかないものが珍重されるため、あまり有名な写しの手水鉢は露地では使わないほうがよいでしょう。

鉢明かりの織部燈籠でもどこか雰囲気の違うものがいいわけですね。寸法が全部一律で、同じような形は面白味がありません。

しかし、現在では、自然の手水鉢など形のよいものはあまり手にはいりません。そのため仕方なく使ったりすることもありますから、一概にこれは絶対にいけないというのではなく、なるべくだったら私は使いたくないということです。

また、臼など見立てものを手水鉢に利用することもありますが、これなどは非常に面白いことだと思います。

しかし、臼などを使うと周囲も広く構成しないとバランスが取れなくなるため、自然石の手水鉢を使った蹲踞とは形式が違ってきます。そして臼などはいくらか加工したもので

蹲踞の扱いは天候によっても異なってくる。写真は雨をよけるために露地笠を用いているようす。その際、2人1組になって交互に使うので、蹲踞まわりの飛石もゆとりを持たせて打ちたい

すから、自然石に比べると少々格が上がるようになると思います。そのため広間などが適しているようです。

おわりに

蹲踞とは手や口を清めるためのもので、一番大切なことは清潔さだと思います。ですから杓架が水穴の中の水と触れていたり、杓架を結束する棕櫚縄が水穴に垂れているのはあまり感じのよいものではありません。

また、最近では筧を使いますが、その汚れというのが目につきます。まあお茶事で用いる蹲踞は、常に綺麗にしていると思いますが、これも注意したいものです。特に筧の半分を途中まで切り取ったものはよけいに気を遣います。

それから、手水鉢に苔が付いているものがあります。例えば山などで清流が落ちていて、それに苔蒸しているような清水なら、新鮮な気持ちがしていいかと思います。しかし、お茶事の場合は、見た目ではなく、まず清潔感がなければなりません。ですから水穴はもちろん、上端でも汚ない感じのする苔は取ったほうがよいでしょう。

もしこれが、景色を重んじた蹲踞であれば苔が全体を覆っていても構いませんが、お茶事の場合は、手や口を清めるのが目的であることを忘れないようにして下さい。

また、茶事で人を招くときには、生地のものや竹のものは新しいものを使うのがお茶の原則です。ですから柄杓や杓架、筧なども新しく変えたりするのが本来の姿です。

これまでとりとめのないことを話しましたが、あくまでもこれは私なりに考えていることですので、皆さんの露地に対する考えとは違うこともあるかと思います。やはり露地は、その人の自由であり、それが趣向の違ったそれぞれのお茶ということになるのではないでしょうか。

『庭』別冊第五十九号《茶庭2人集》より抜粋

水音を楽しむ

水琴窟のつくり方

琴のような音色を響かす

日本庭園の特殊な技法として、今から百八十年前に江戸の庭師によって考案されたという水琴窟（すいきんくつ）は、まさしく日本庭園が世界に誇るハイテクだった。

ところが、時代が経つにしたがってその技法は忘れ去られ、ついには水琴窟という言葉自体も「幻」のものとなってしまった。

それが約二十年前になって再びスポットを浴びるようになった。しかし「幻」といわれてきた水琴窟の存在を現代に知らしめたのは、皮肉なことに作庭界ではなく、マスメディアの世界であった。テレビに紹介され、その「幻の音」が全国に発信されると当所にも数多くの問い合わせがあった。それからというもの水琴窟は専門図書としても出版され、ついにはテレホン・サービスで自由に耳にできるまでになり、水琴窟はブームとなった。

これから紹介する《水琴窟のつくり方》は、そのようなブームの最中に発刊した『庭』別冊第五十号《特集　庭の水景》（昭和六十一年七月一日発行）で、実際につくりながらそのプロセスを誌面で伝えたものである。

制作にあたり、さまざまなタイプの水琴窟のつくり方が検討されたが、その制作のプロセスを重視するため、市販の水ガメを用いて比較的簡単に施工できるものとしたようだ。

しかし、水ガメでなければいい音色は楽しめないということではなく、これはあくまでも基本であって、コストを考えればコンクリート二次製品のヒューム管でもいいことになる。要は、地中において水音を反響させる硬質な素材であればいいわけだ。だが、江戸の昔とは比較にならないほど現代は騒音が多い、静寂な庭にこそふさわしいのが水琴窟だろう。

試作場所＝小林玉来邸／施工＝吉村金男・石井建次・柴田正文・田籠善次郎各氏　参考文献＝『造園雑誌』23巻3号・『日本庭園』19号・『水琴窟の話』

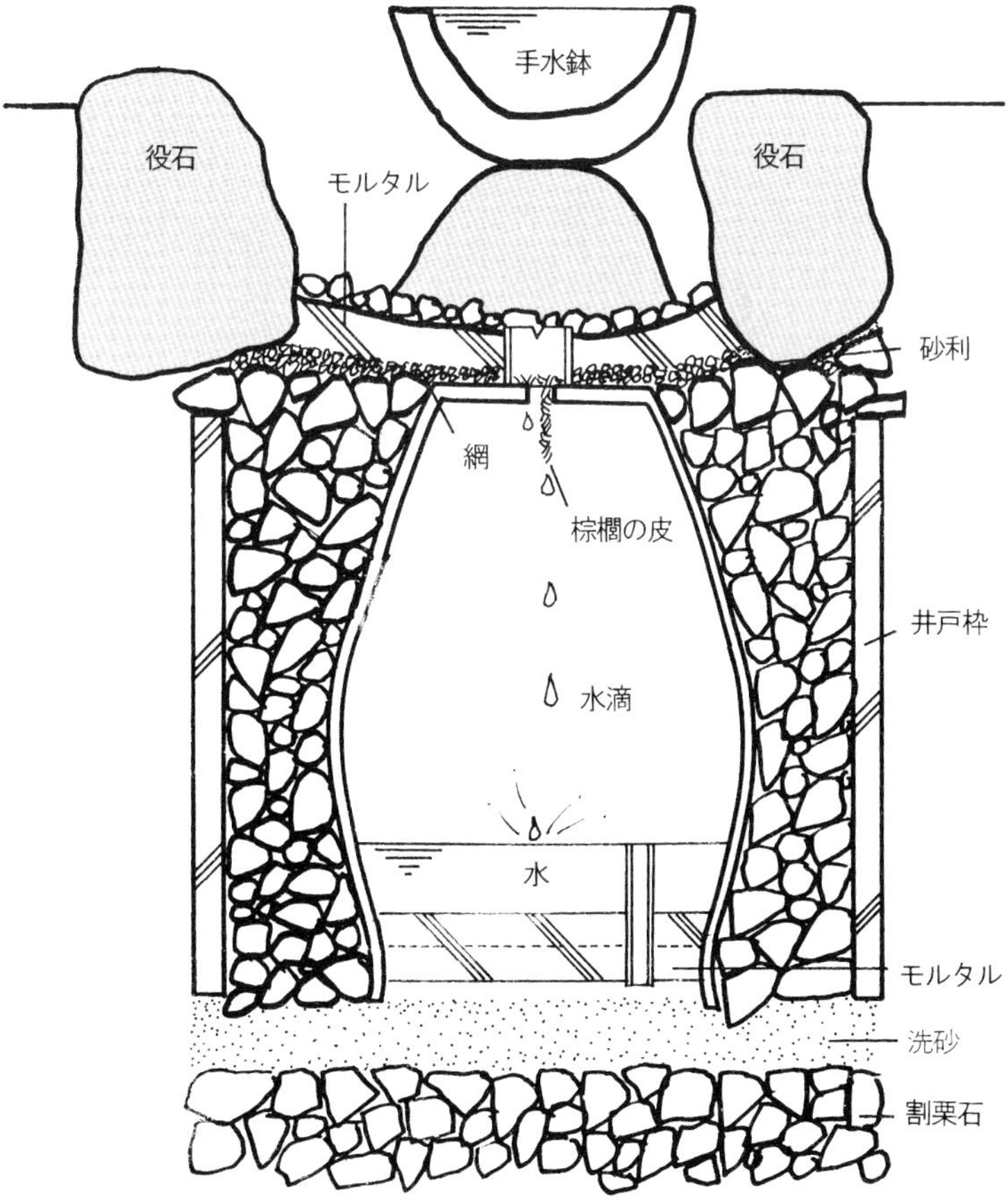

制作した水琴窟の断面

音の決め手——水ガメについて

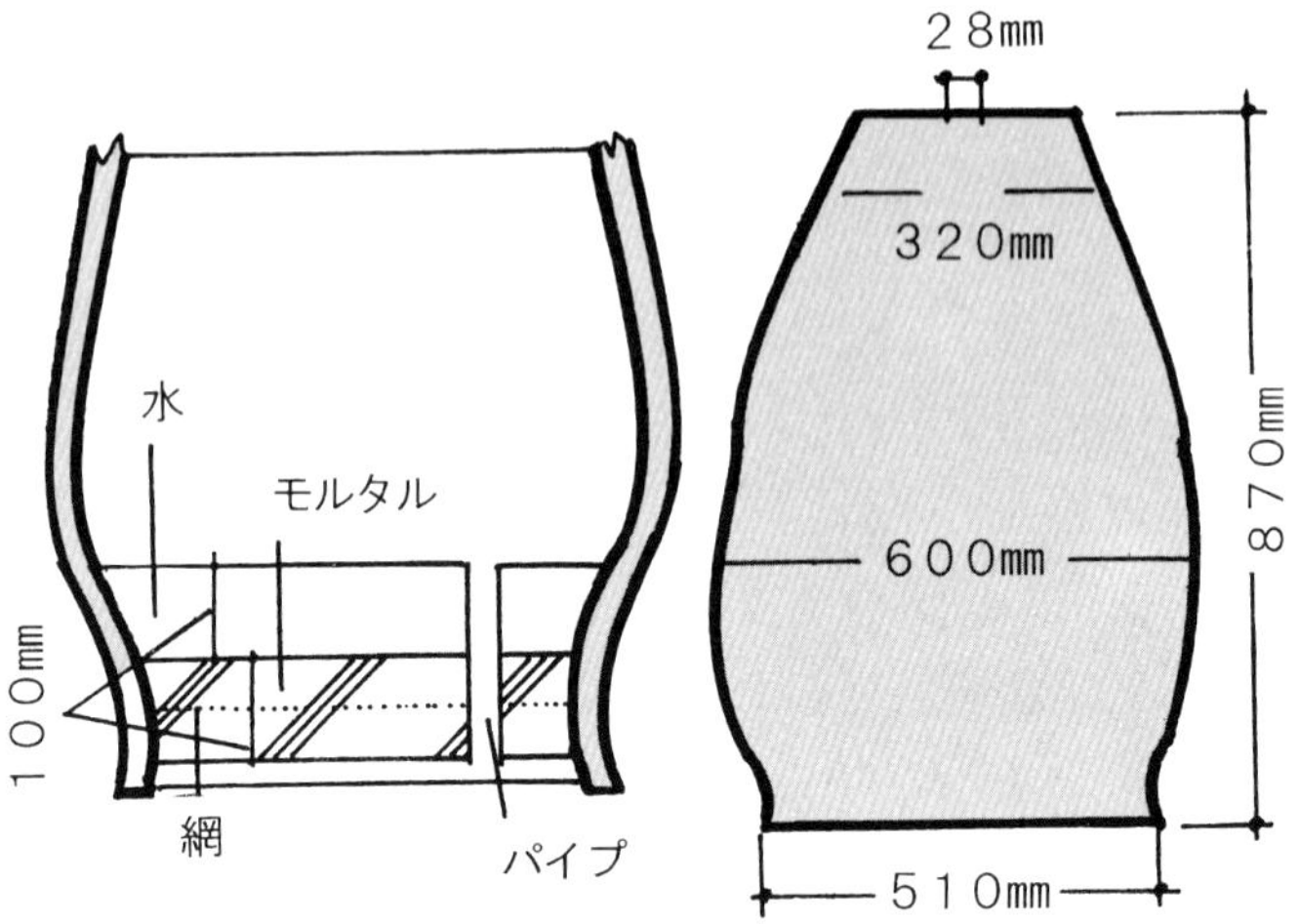

水ガメの形態と断面

水琴窟で一番重要なのがこの水ガメである。しかし、入手するのは困難であり、今回は現在植木鉢専門店で市販の水ガメを用いた。

カメは唐津焼で、少量の釉薬のかかった焼き具合もあまいものである。まず水琴窟に用いるためカメ底に水の落ち口の穴を開けなければならず、開けたのが写真❶である。

穴の開け方は、まずドリルで小さな穴を緩やかに開ける。その数は三ヶ所、あるいは梅の花のように中心に一ヶ所、その周辺に五ヶ所ほど穴を開けるのがよい。そしてヤスリなどで丹念に開けるのがこつである。

また今回の水琴窟では水滴を受ける水皿は用いず、カメの口を閉じてカメの中に水を溜めて音を出すようにした。

この口の塞ぎ方は、まず前記の方法で底に穴を開けたカメに砂を八分目まで入れ、その上にモルタル、網、モルタルの順で流し（図参照）、モルタルが固まり、水で砂を流すと写真❷のように口を塞ぐことができる。

❶ 水ガメの底に水の落ち口を開けた状態

❷ モルタルで水ガメの口を塞ぐ

❸ 水琴窟に使った唐津焼の水ガメ

オーバーフロー用のパイプはその段階で入れ、カメの中に約一〇センチ水が溜まるようにする。この水の溜まり方が音を左右する一つの要因であり、その深さは大体水の落ちる高さの十分の一がよいとされている。写真❹は水音のテスト中である。

❹ 水ガメを埋め込む前に水を落とし、試しに反響音を聞く

穴を掘る

❺ 直径1200㎜、深さ1500㎜の穴を掘る

水琴窟を設置する位置が決まると、いよいよ現場での作業となる。

まず、カメを埋める穴掘りから作業はスタート(写真❺〜❾)。

掘る穴の大きさは左図で示す通りである。深さはカメの高さに排水層の厚さ、それに今回は手水鉢を降《お》り蹲踞にするため、その海の深さを合計したものである。

穴の深さは排水の仕方によって違うものである。自然排水をする場合はその蹲踞の設置理由、手水のためのものか、四六時中、水を噴き出させて景のポイントとして音を楽しむものか、それによっても穴の深さは変わるのは当然である。

しかし、いずれの場合にせよ十分な排水ができるようにするのが望ましい。

また、穴の直径は井戸枠(後述)を入れるため、その直径の数値である。

写真❽は穴の直径、写真❾は穴の深さをそれぞれ確認しているものである。

❾ 深さを確認する

❻ 穴掘り作業に適した直径を確保するのも大事

❼ ひたすらに穴を掘る

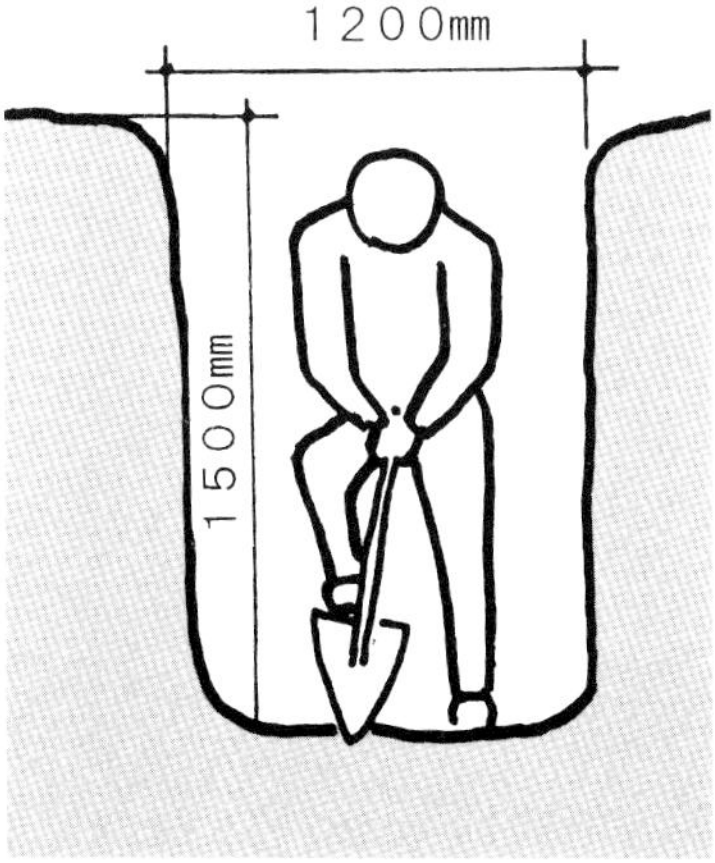

穴の断面

❽ 時々、穴の直径を確認しながら掘り進める

❿ 穴の底へ割栗石を敷き詰める

排水層をつくる

予定の深さの穴が掘り終えると、今度は自然排水のための排水層をつくる。

まず穴の底に割栗石を敷き(写真❿⓫)その上に洗砂を入れる(写真⓬)。この場合、砕石や古瓦など、なんでも利用できる。

石と砂が一定の深さまではいると一度その深さを確認(写真⓭)し、砂を突き固めて(写真⓮)ちょうどいい深さまで砂を入れる。最後にもう一度深さをチェックする。

排水層の厚さは左図のような数値となっている。

また、この排水層の上に直接カメを入れるため、砂の上面は水平にしなければならず、突き固めのときはそれを計算に入れて行なう必要がある。

入れる砂の量は一輪車で大体三台分であるが、場合によってはこの砂を入れず、直接割栗石の上にカメを置いても構わない。

また排水設備を設ける水琴窟では、この作業を行なわないものもある。

⑬ G.Lを示すために垂木を置き、メジャーを当てて、洗砂の厚さを割り出す

⑭ 洗砂を突き固める

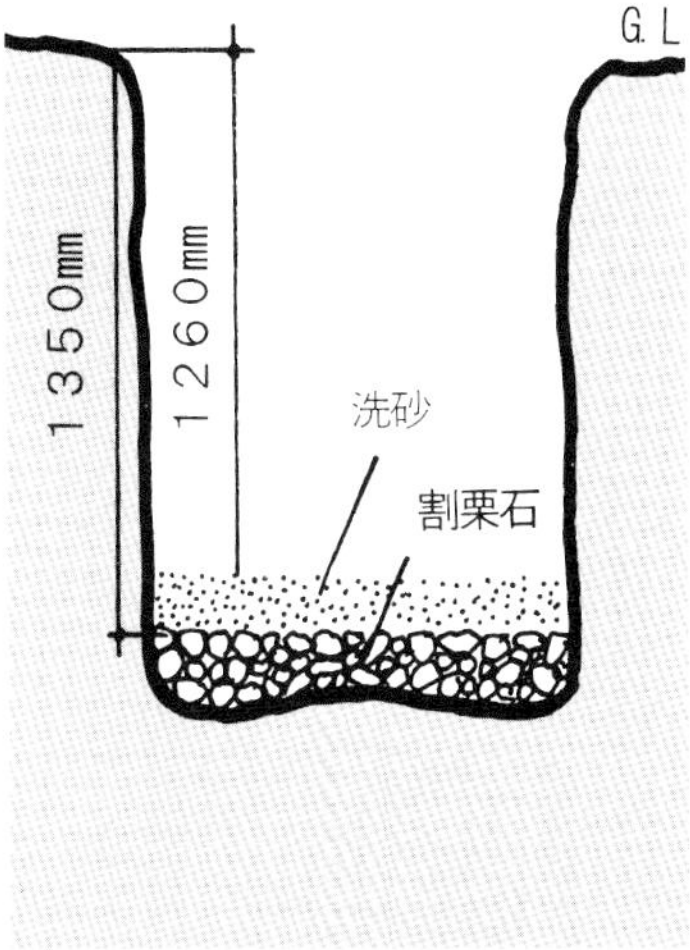

排水層の断面

⑪ 割栗石の上に砕石、もしくは古瓦を敷き、突き固める

⑫ 突き固めたら、洗砂を入れる

井戸枠を入れる

⑮ 井戸枠(コンクリート二次製品)を慎重に穴の横へ移動させる

排水層の砂を突き固めたら、今度はその上に既製の井戸枠を入れる(写真⑮〜⑰)。

この井戸枠を入れた理由としては次の三つが上げられる。

①水琴窟を設ける場所の土が柔らかいため、穴の中に土が崩れるのを防ぐ

②井戸枠を入れることによって、穴の土留めの作業を簡略化し、作業時間の短縮化が計れる

③井戸枠を入れることによって、カメの中で響く水音を反響させる

これらの理由でこの水琴窟では井戸枠を用いることにした。

特にこの地域の土はもろく、以前つくられた水琴窟も穴が崩れてしまい、その修理に苦労したため、その意味でもこの井戸枠は大いに役立つものである。

写真⑱⑲は、井戸枠と穴の空間を埋め戻し、この空間をしっかり土で締めることも大切な作業である。

⓳ 埋め戻しの土は突き固めながら入れていく

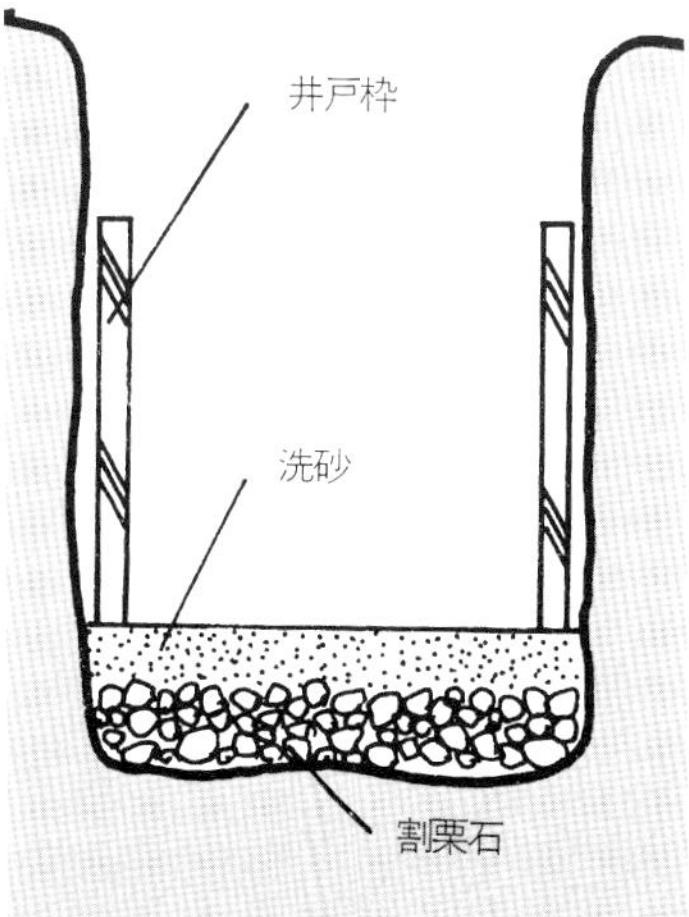

井戸枠を入れた状態の断面

⓰ チェーンブロックを使い、穴へ井戸枠を降ろす

⓱ 井戸枠に水準器を当て、水平であるか確認する

⓲ 井戸枠を据え終えたらまわりに土を埋め戻す

割栗石を入れる

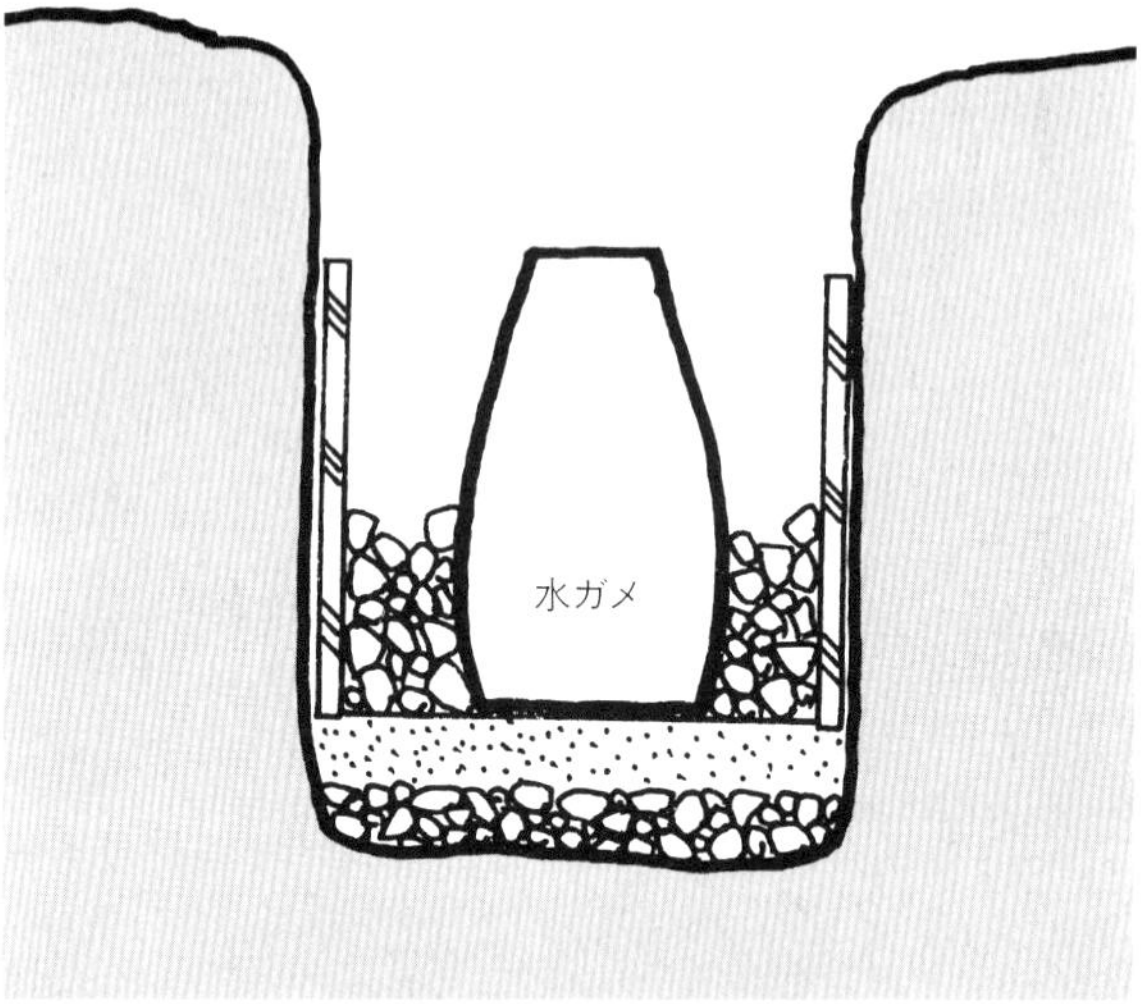

水ガメを入れた状態の断面

井戸枠がはいると、その中に前記の処理を施したカメを中央にチェーンブロックを用いて入れる（写真⑳）。

落ち口の穴の開け方は前記の通りであるが、焼きが堅いカメだとこれだけの作業で二、三時間はかかるため、穴は事前に開けておくことが望ましい。

また、この穴の大きさによっても音色にはかなりの違いがある。カメが小さいと音も高くなるが、穴が大きくなると音は低くなる。

実際このカメで穴の大きさと音を聞き比べてみると、穴の直径が二センチ以下だと音がほとんどせず、直径を徐々に広げていくと、高い音が次第に低くなっていくようであり、今回の穴の直径は二・八センチとした。

さて作業はカメを写真㉑のように入れ、カメと井戸枠の空間に割栗石を入れる。

この石も水音を反響させるための大事な役を担うものであり、カメの周囲を全部埋めつくすようにする。

⑳ 水ガメはチェーンブロックを使って穴に降ろしていく

㉑ 水ガメが井戸枠の中に納まったようす

㉒ 井戸枠と水ガメの間へ反響を良くするために、割栗石を丁寧に入れていく

㉓ 割栗石の敷き詰めも後一息のところまできた

㉔ 敷き詰めが終わった状態

水の落ち口

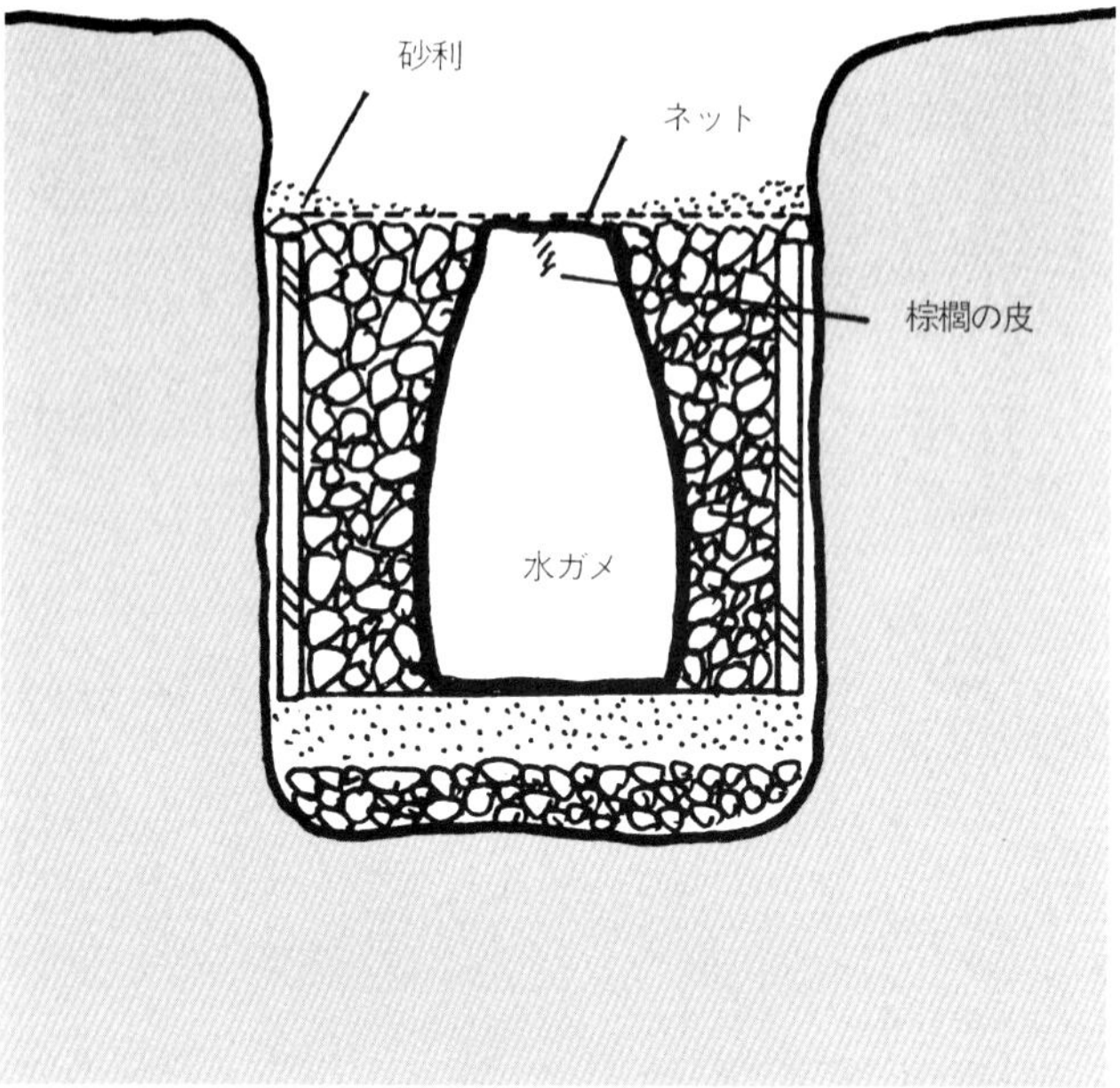

ネットを被せた状態の断面図

石をカメの天端まで入れると、今度は目つぶし砂利を入れる。

また、蹲踞の海にモルタルを流すため、カメの落ち口をさけてネットを張り(写真㉕)、その上に砂利を敷く(写真㉖)。

写真㉗はネット、砂利の作業が終わった落ち口。この中央の穴から水滴はカメ内に落ち、あの水琴窟の音色がするわけだ。

しかし、ただカメに穴を開けただけでは、水滴はカメの側面を伝うだけで中には滴下しないわけである。そのため落ち口にはなんらかの細工をしなければならない。

今回は写真㉘のように、棕櫚皮を穴に差し込んでそれを伝って水が滴下するようにしてみた。

棕櫚の他に竹やビニールパイプなどいろいろ試してみたが、その結果棕櫚が一番いい音を出していたためである。

㉕ 蹲踞の海に当たる部分にモルタルを塗るためにネットを張り付ける

㉖ ネットを張り終えたらその上に砂利を敷く

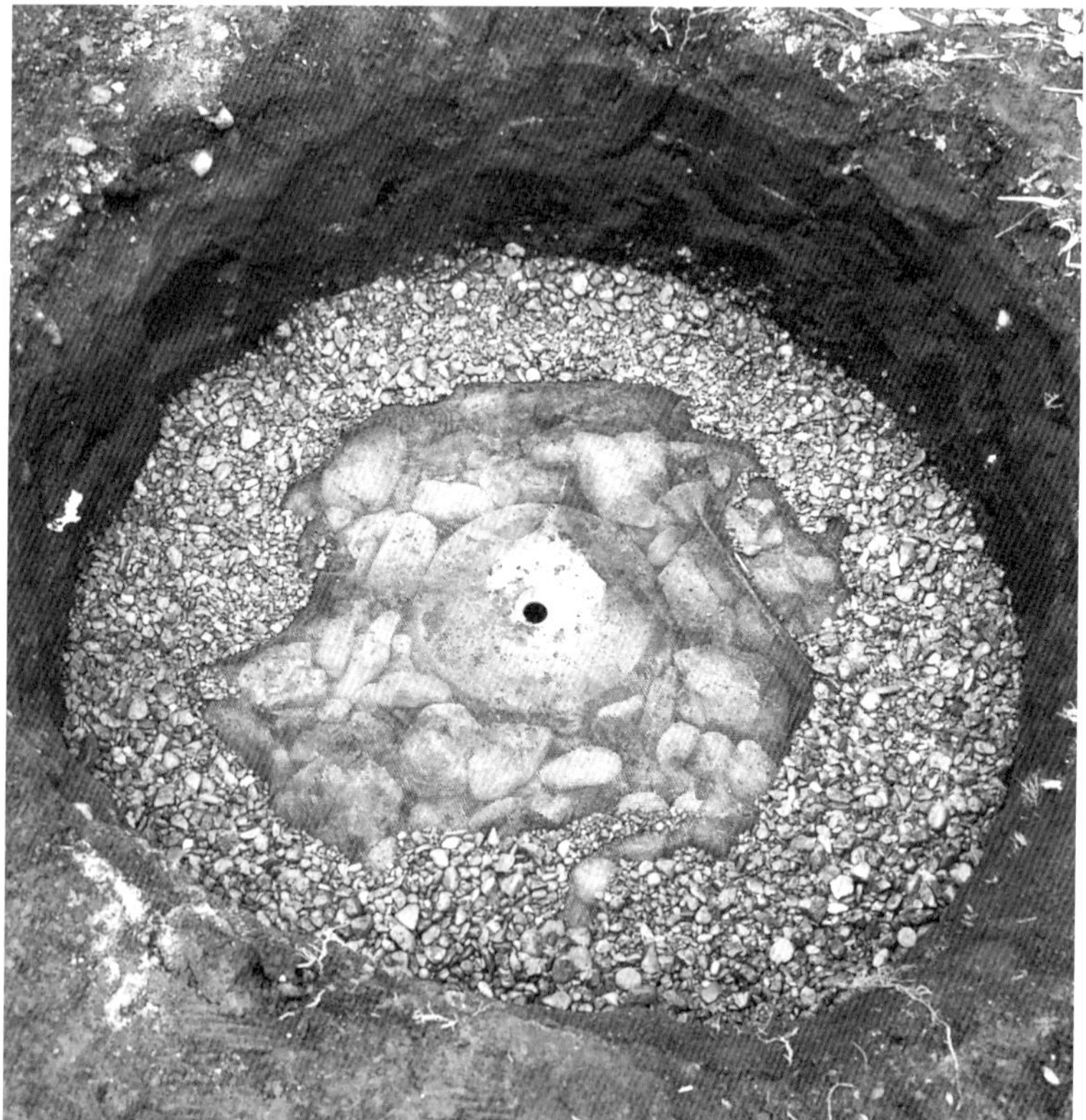

㉗ 砂利を敷き終える

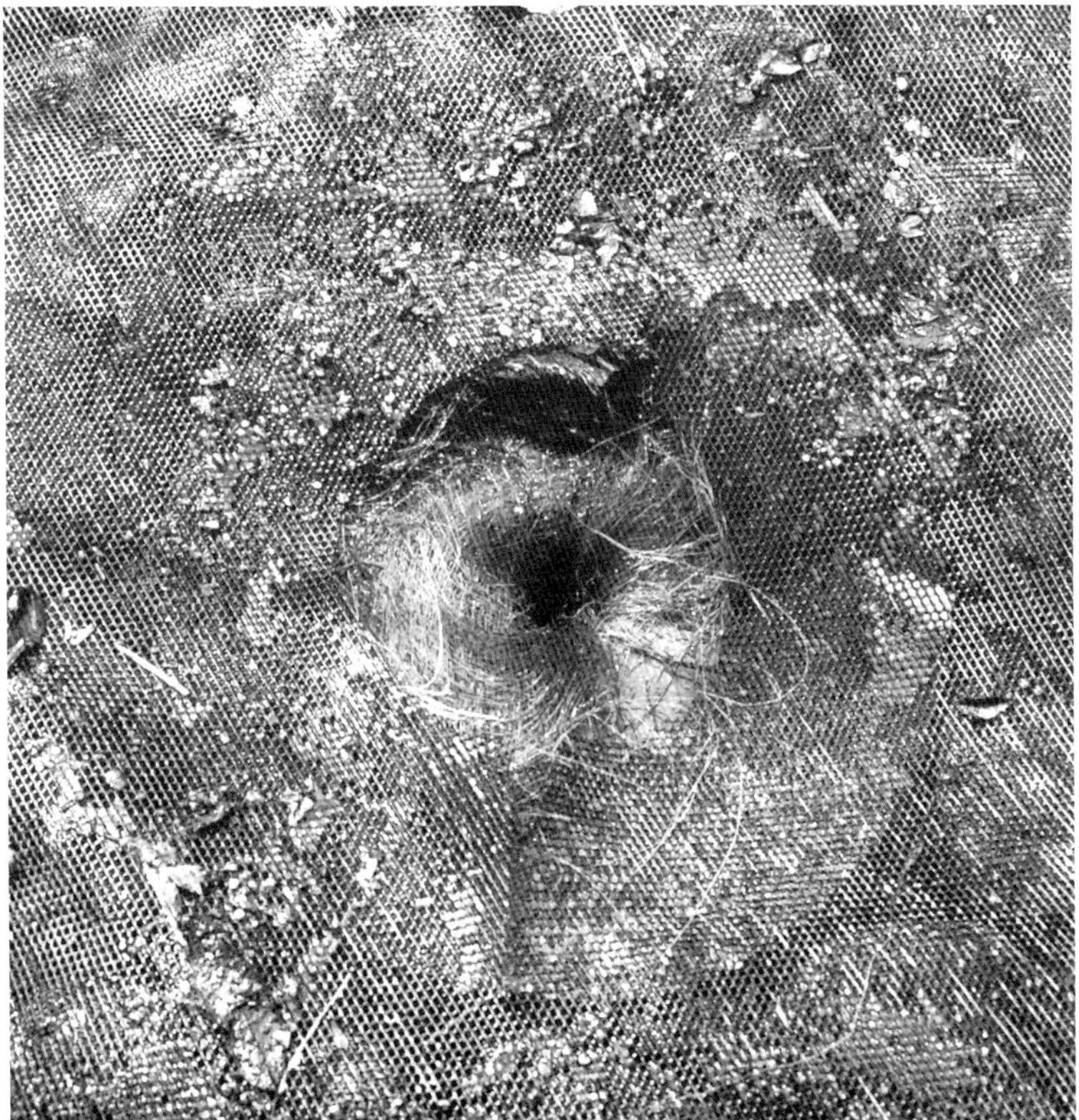

㉘ 棕櫚の皮を水の落ち口に差し込んだところ

蹲踞を組む

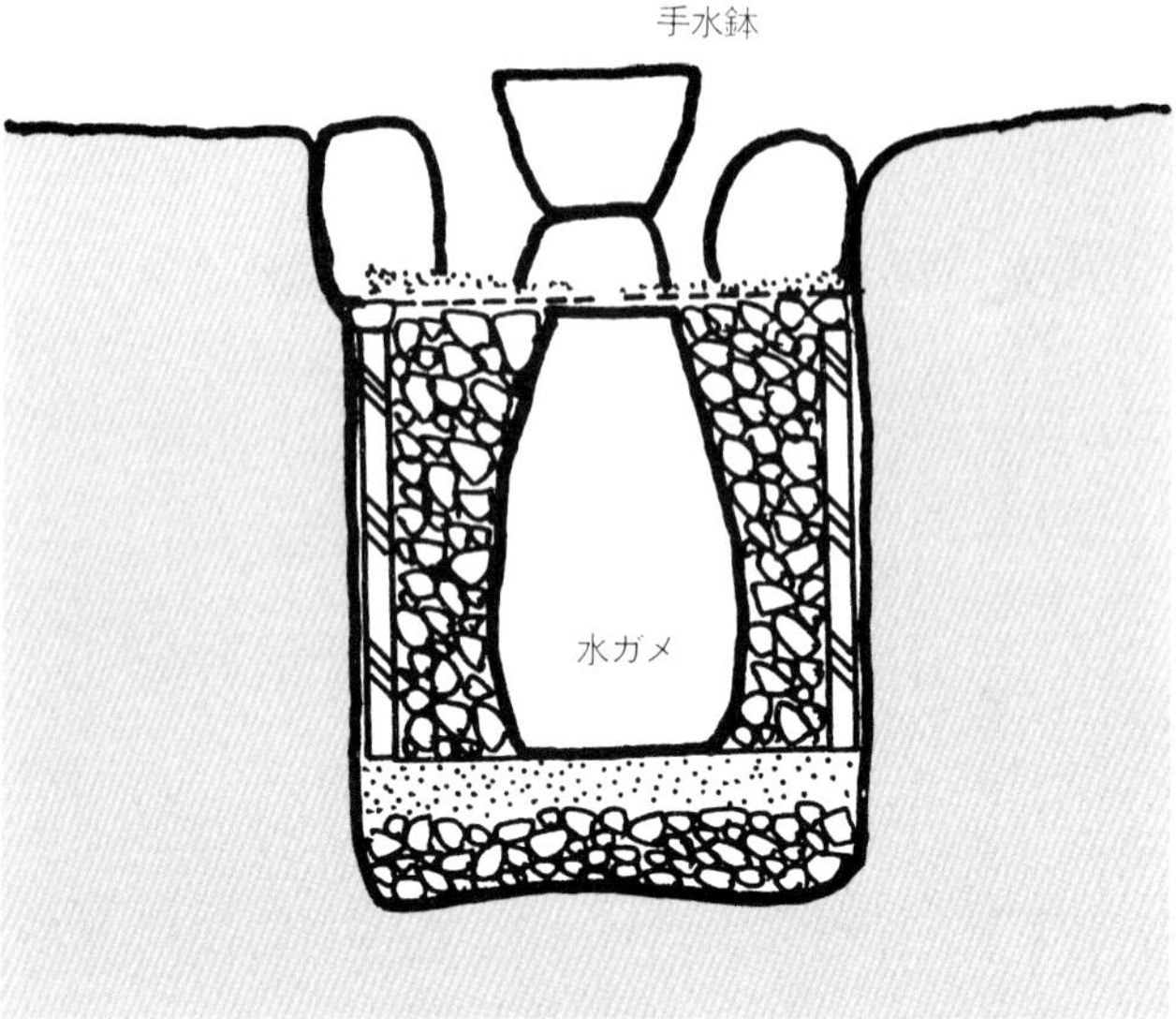

蹲踞の水鉢と役石を据えた状態の断面

これで地下部分の作業は終わり、これからは日に見える地上の作業、蹲踞を組むこととなる（写真㉙〜㉞）。

蹲踞の作業はあらためて順を追う必要もなく、普段の蹲踞と同じ作業である。ただしカメの中に泥などがはいるのを防ぐため、ござを敷いての作業である。

蹲踞の構成は降り蹲踞で、筧使いのものとした。

㉙ 水ガメのまわりを埋め戻す

㉚ 台石の上に臼形の手水鉢を据える

㉛ 手水鉢が据え終わったら前石を据える

㉜ 前石と手水鉢との間隔は実際に前石の上に乗り、柄杓を手に取って確認することが大事

㉞ 前石や役石が据え終えたら鉢囲いの石を据えていく

㉝ 役石を据える

㉟ 鉢まわりが片付いたら植栽も施す

㊱ 筧からの水が、水穴の中央に落ちるように調節

㊲ モルタルを海に塗り込んでいく

㊳ パイプの端をVの字にカットしたのは泥やゴミの混入を防ぐため

㊴ モルタルを塗り込み、固まったら吾呂太石を敷いて完成

完成

㊵ 前石(上)側に見える水の落ち口

㊶ 完成

植栽、海のモルタル作業を終え、吾呂太石を海に入れると作業は終了となる（写真㉟〜㊶）。

写真㊴のパイプはカメに水を導くためと、泥などがカメ内へ落ちるのを防ぐためのもの。ここまでの時間は約六時間半であった。

さて、待ちに待った水琴窟の音色は……？それは文章では表わせない大変優雅な響きであった。

現代的な手水鉢を求める

手水鉢は発展途上にあり

人が人として生きる以上、誰人であろうと世俗に渦巻く、貧り・怒り・哀しみからは逃れることはできない。たぶん、この貧り・怒り・哀しみを数寄者たちは、世俗の汚(けが)れと捉えたのかもしれない。

亭主が点てた一碗の茶を服するのに、客も世俗の汚れを茶席に持ち込んだのでは、一碗の茶を服したことにはならない。亭主も客も、つまり主客一体となって濁りのない透徹した心情で一碗の茶に対峙してきたのだろう。

汚れた心情を蹲踞の手水鉢から一杓二杓の水を汲み出し、手を清め口をすすぐ。心身ともに清々しい心持ちへと切り替えて茶席にはいる。この一点こそ蹲踞の本質だろう。

観点を変えれば蹲踞は、不思議な水の力を引き出す媒介物だとも考えられる。これさえ認識すれば形式論は無用となる。

蹲踞の手水鉢といえばこれまでは自然石に水穴を開けたものや、石造物の一部を加工して手水鉢にした、いわゆる見立て物の二種類に大きく分けられる。

手水鉢に対する既成概念さえ払拭できれば現代は、過去から比べれば手水鉢に見立てることが可能なアイテムは実に多い。茶会の趣旨・季節・土地柄・亭主の美的感覚と趣向のありようで、季節に応じてチョイスでき、手水鉢は進化し、発展を遂げるだろう。

「夏は涼やかに、冬は暖かく…」という亭主のもてなしさえ根底にあれば、ガラスや陶器製の手水鉢が出現しても何ら不思議ではない。茶の湯の精神さえ健在ならば至極当然なことかもしれない。

次ページからは、東京都内で店を構える㈲豊前屋庭石店と㈲石正園に並ぶ手水鉢の中から展開の予知を感じるものを選んでご紹介する。こころよく手水鉢を提供していただいた両店には深く感謝する次第である。

豊前屋庭石店の手水鉢

世田谷区上用賀四-八-九　電話〇三-三四二六-五四九〇

飼い葉桶（韓国産御影石）

縦＝650　横＝900　高さ＝400　水穴直径＝490　深さ＝320

＊以下、単位はミリメートル。寸法は概観を示す程度

豊前屋創作形(韓国産御影石)

縦＝280　横＝550　高さ＝300　水穴直径＝210　深さ＝110

豊前屋創作形(韓国産御影石)

縦横＝460×460　高さ＝380　水穴直径＝210　深さ＝125

飼い葉桶(韓国産御影石)

縦＝600　横＝920　高さ＝350　水穴＝690×470　深さ＝240

水盤形（岡山産御影石）
直径＝460　高さ＝380　水穴直径＝380　深さ＝70

台石（豊島石製のクド、釜戸を転用）
縦＝380　横＝420　高さ＝380

一文字形(岡山産御影石)

縦＝250　横＝680　高さ＝400　水穴＝130×470　深さ＝110

一文字形(中国産黒御影石)

縦＝270　幅＝1000　高さ＝540　水穴＝150×700　深さ＝40

豊前屋創作形(仙台産伊達冠石)

縦=360　横=500　高さ=350　水穴直径=200　深さ=190

豊前屋創作形(仙台産伊達冠石)

縦=600　幅=630　高さ=240　水穴直径=310と140の二つ有り　深さ=90

石臼(韓国産)

縦＝460　横＝480　高さ＝520　水穴直径＝320前後の楕円形　深さ＝320(逆円錐形)

石正園の手水鉢

西東京市新町三-七-二　電話〇四二-四二-五二-一〇五八

江戸時代中期の宝篋印塔の笠（右手前）（奈良御影石）

縦横＝360　高さ＝280　水穴直径＝210　深さ＝210

格狭間付（左奥）（蛭川御影石）

縦横＝410　高さ＝350　水穴は二重で290×230　深さ＝140

石正園創作形（X型＝蛭川御影石）

縦横＝600　高さ＝240　水穴直径＝写真の状態で約500　深さ＝90　噴泉用の穴有り

石正園創作形（イロハのイ型＝稲田御影石）

縦横＝600　高さ＝240　水穴＝480　深さ120

濡鷺形燈籠の笠(蛭川御影石)
直径＝600　高さ＝400内外　水穴直径＝270　深さ＝170

耳付八花弁(龍山石製)

縦＝420　横＝680　高さ＝320　水穴直径＝280　深さ＝120

層塔の笠(稲田御影石)

縦横＝530　高さ＝260前後　水穴直径＝260　深さ＝60

層塔の笠(稲田御影石)

縦横＝480　高さ＝160　水穴直径＝260　深さ＝60

層塔の笠(岡崎近郊の御影石)

縦横＝600　高さ＝220　水穴直径＝270　深さ＝120

蹲踞ミニ事典

あ

【憶昔（いくじゃく）**の蹲踞】** 京都、西本願寺内の滴翠園にある飛雲閣に付属する茶席、憶昔の手水鉢は石塔の塔身を利用したものと伝えられている。

【石燈籠基礎の手水鉢】 石燈籠の基礎部分を利用、ここに水穴を開けた手水鉢。

【一文字形（いちもんじがた）**の手水鉢】** 主に平たい自然石を横に切断し、その断面に水穴を開けたもので、その横に長い切り口の形が一の字に似ていることから付いた名称。

【井筒形（いづつがた）**の手水鉢】** 石造の井戸囲いを手水鉢に見立てたもの。組井筒、丸井筒などの種類がある。

【遺芳（いほう）**席の蹲踞】** 京都、東山の高台寺にある吉野太夫好みといわれる茶席、遺芳の蹲踞。鉢明かりの燈籠には火袋や竿の各面に仏像が刻まれている。

【臼形（うすがた）**の手水鉢】** 水車小屋や農家で使用した石臼を手水鉢に利用したもの。入手が容易なので、作庭者の多くが使用。

【梅ヶ枝（うめがえ）**の手水鉢】** 京都、岡崎の旧中井邸にあった特異な形態の手水鉢。古墳から出土した石棺の蓋を削り取り水穴を開けたといわれている。元々は京都、円山の長楽寺に明治時代後期まであったもの。蹲踞の添木には毒を消すという意味で紅梅を用いることもあるが、この名の由来は浄瑠璃『ひらがな盛衰記』の遊女、梅ヶ枝が手水鉢を叩いて小判を降らせたとか、手水鉢の凸出部を梅の枝に見立てたところから出たものと伝えられている。

【恵観（えかん）**山荘の蹲踞】** 鎌倉、浄明寺にある茶道宗徧流家元邸の茶席。元は京都、西賀茂川上にあり、前関白の一条昭良＝恵観が営んだ山荘と伝え、昭和三十四年に現在地へ移築。露地は故・中根金作氏の指導で整備された。蹲踞は江戸時代初期における形式を伝える貴重なもの。手水鉢は伽藍石に水穴を開けたもので、容量も多い。

【円水盤形の手水鉢】 古銭の形を模して水穴を四角形、いわゆる方形に掘った手水鉢。代表的なものとして孤篷庵の布泉の手水鉢や龍安寺の「吾唯足るを知る」の文字を彫った知足の手水鉢がある。

【円筒形塔身の手水鉢】 手水鉢として最初から創作したものに対し、旧来の石造遺物の一部を手水鉢に利用し、多少の意匠を施したもの。その中でも石塔の塔身部に水穴を開けたものの総称。

【円徳院（えんとくいん）の蹲踞】 京都、東山の高台寺前の円徳院は元、淀君の化粧の間であったといわれるもの。同じ敷地内の茶席の露地の蹲踞。石塔の笠石を縦に扱い、その上下面の中央部を凹字形に切り下げ、笠の頂上部を削り取り、長方形の水穴を開けた手水鉢が有名。形態は香炉の形に仕立てた特異な形で、檜垣の手水鉢という異名が付いている。

【燕庵（えんなん）の蹲踞】 京都、西洞院七条の藪内家の名席、燕庵の露地の蹲踞。手水鉢は湧玉形に属し、文覚上人の元の居住地にあった五輪塔の水輪を水鉢に見立て、梵字を刻んでいる。

【鬼瓦（おにがわら）席の蹲踞】 京都、東山の高台寺にある茶席。灰屋紹益が建てたと伝え、鬼瓦を妻壁に飾ってあることからこの名が付いた。手水鉢は伽藍石を用い、鉢明かりには春日燈籠を生け込んでいる。

【表千家の蹲踞】 京都、上京区小川通りに裏千家と並ぶ表千家には、不審庵、残月亭、点雪堂などの茶席がある。その中で点雪堂前に設けた蹲踞は、「聚楽の蹲踞」とも呼ばれ、手水鉢は青苔で全体が覆われ、石質が確認できないほど侘びている。

【降(お)り蹲踞】 露地の地勢を考慮に入れ、地面を掘り下げて手水鉢をその最下部に配した蹲踞。飛石から前石に至るまで段々と下に降っていくため、景趣に富んだ蹲踞となる。「下(お)り蹲踞」とも記すが、井戸蹲踞といったりもする。

か

【霞床(かすみどこ)席の蹲踞】 京都、大徳寺内の玉林院にある茶席の一つ。この席には違棚として床の間の全面に二段の棚をつり、正面の壁との間を約十二《センチメートル》離し、この空間に富士山を描いた軸を掛けていることから霞床の席と呼ばれてきた。蹲踞はこの席の前にあり、伽藍石を前石とし、やや小ぶりな自然石の手水鉢を向鉢形式に配している。

【桂離宮の蹲踞】 京都、桂川の畔にある山荘。天正年間に豊臣秀吉が八条宮智仁親王のために創設し、元和年間から山荘経営に着手し始め、寛永年間初期に一応完成した。その後、二代智忠親王によって一部増築され現在に至っている。蹲踞は多数あるが、外腰掛の脇に配した二重桝形の手水鉢(一辺は約七十《センチメートル》、高さ約四十《センチメートル》)と「く」の字形をした前石のみの扱い方は小堀遠州好みとして著名。

【伽藍石(がらんせき)の手水鉢】 ここでいう伽藍石は社寺仏閣の建物の柱を支える礎石のこと。柱が乗る部分を円形に加工し、他は自然石のままに残してある。柱が建つ部分の凹部をそのまま水穴としたものや、後に水穴を掘ったものと二種類ある。

【枯流れの蹲踞】 枯流れの中に役石を用いず、岸辺近くに手水鉢を配したもの。例＝表千家の点雪堂、西本願寺の滴翠園など。

【裏千家、寒雲亭(かんうんてい)の蹲踞】 京都、上京区小川通りの裏千家には今日庵と又隠の茶席など数席の茶席があり、その中でも寒雲亭前には利休遺愛の小袖の手水鉢がある。元は伽藍石だが、形が小袖に似ているというので、この名がある。鉢明かりの石燈籠も利休遺愛の品である。

【環翠園（かんすいえん）の蹲踞】 京都、武者小路千家内の茶席の一つ、環翠園にある手水鉢は自然石の舟形、天端は平坦で水穴は長方形。水門の海には大ぶりな吾呂太石を敷いている。

【菊鉢形（きくばちがた）の手水鉢】 菊花の造形化。側面に花弁を刻み、台石が必要。

【希首座（きしゅさ）の蹲踞】 京都、龍安寺内にある希首座の茶亭。その貴人口の前には流れがあり、護岸の一部を利用して蹲踞が配され、前石も流れの中にある。手水鉢は典型的な銭形で、水門は設けずに流れの中へ排水する仕組となっている。

【既白軒（きはくけん）の蹲踞】 京都、花園の妙心寺内、桂春院の茶席。藤村庸軒好みと伝え、妙心寺では喫茶を禁じていた頃の作で、外部から隠れた形で茶席を設けたため、躙口も蹲踞も片隅にあって目立たぬよう扱われている。手水鉢は伽藍石を用いている。

【袈裟形（けさがた）手水鉢】 立方体や円柱形の側面に僧侶がまとう袈裟のような模様を刻んだ手水鉢。銀閣寺東求堂脇にある立方体のものがその代表とされ、いわゆる銀閣寺形手水鉢ともいわれている。

【化生庵（けしょうあん）の蹲踞】 東京、護国寺の月光殿にある茶席。手水鉢は段差の付いた自然石を利用し、一段低い平坦な部分に水穴を掘り、頂上部の天端に筧を架けているが、造形的に優れている自然石を巧みに活かした蹲踞の好例だろう。

【月華殿（げっかでん）の蹲踞】 横浜、三溪園内の月華殿は元々伏見城内にあった書院で、織田有楽の造営と伝えられている。その前庭にあるのがこの蹲踞。手水鉢は奈良の法華寺にあった水掘石の一種。前石のみを配し、水門は小流れに沿っている。

【月波楼（げっぱろう）の蹲踞】 京都、桂離宮内の茶席の一つである月波楼の次の間の前にある蹲踞。手水鉢は、草刈り用の手鎌の形に似ていることから「鎌形の手水鉢」と呼ばれている。

【青蓮院内、好文亭（こうぶんてい）**の蹲踞】**京都、東山粟田口の青蓮院庭園内にある茶席、好文亭は後桜町天皇好みと伝え、貴人口前に蹲踞を配している。自然石の富士形と称する手水鉢は同天皇遺愛と伝える。役石は簡素に組まれ、鉢明かりは蓮華寺形燈籠。

さ

【黄梅院内、昨夢軒（さくむけん）**の蹲踞】**京都、大徳寺内の黄梅院にある茶席の一つ。手水鉢は方形で、縁取りがしてあり、一種の袈裟形と呼ばれているが、台石に据え、中鉢形式で四方が見えるようになっている。この昨夢軒は武野紹鷗好みの席といわれる。

【沢飛（さわとび）**の蹲踞】**池水の流れをそのまま手水用とし、岸辺より沢飛を二、三配し、その一つを前石としたもの。例＝桂離宮松琴亭の流れの手水。

【三隠窟（さんいんくつ）**の蹲踞】**京都、烏丸今出川の相国寺山内の僧堂に付属する茶席の一つ。手水鉢は燈籠の笠石を逆さにしたもので、台石には石塔の塔身を用いている。

【山雲床（さんうんしょう）**の蹲踞】**京都、大徳寺内、孤篷庵の山雲床の蹲踞に配してあるのが世にいう布泉形手水鉢。直径五十七・五《センチメートル》、高さ二十九《センチメートル》の円水盤だが、上面に方形の水穴を掘り、その左右に「布泉」の二字を陽刻し、中国の古銭を表している。中国の古書『鋳銭文日布泉』によれば、「布」は行うことで「泉」は蔵する意味だと説かれている。この手水鉢、夏季には天端一杯まで水を満たし、冬季は方形の水穴まで水を満たすものとされている。

【慈光院（じこういん）**の蹲踞】**奈良、大和小泉にある片桐石州が営んだ慈光院にはいくつもの名品の手水鉢がある。書院に付属した茶席の躙口前にある手水鉢は、自然石の天端を平らにして水穴を掘っている。湯桶石は比較的大きく、背後に石州塀を控える。水門は玉石を三個重ねただけで侘びた風情が特色。

【南宗寺内、実相庵（じっそうあん）**の蹲踞】** 大阪、堺の南宗寺に建つ茶席、実相庵（戦災で焼失したが戦後に再建）にある書院式蹲踞。円筒、袈裟形の手水鉢は千利休遺愛と伝え、高さ一・一六《メートル》、上面の直径四十五《センチメートル》。鉢明かりの六地蔵の石幢形燈籠も名高い。

【四方仏形（しほうぶつがた）**手水鉢】** 場合によっては「よほうぶつ」とも呼ばれている。宝篋印塔の塔身（立方体）部分に水穴を掘って手水鉢にしたもの。四方に仏像を彫ってあることからその名が付いた。特殊なものとして四隅に梟に似た鳥を彫った梟形もある。

【四方盆形の手水鉢】 四隅は面取りがしてあり、やや柔らか味を与え、水穴は方形。この発展したものとして、長方形の角柱や六角形で円い水穴を開けたものもある。

【杓架（しゃっか）**】** 本書、蹲踞学入門の項参照。

【縮遠亭（しゅくえんてい）**の蹲踞】** 京都、東本願寺から東へ行ったところに枳殻邸で知られる渉成園がある。広大な池泉の中央対岸の斜面にこの茶席、縮遠亭はある。手水鉢は著名な「塩釜の手水鉢」といわれるもの。鉢自体は鎌倉時代の石塔の塔身を利用したものらしい。塩釜とは塩水を運ばせて塩を焼かせ海浜の風景を楽しんだ、という源融の河原院の故事から付いたといわれている。

【春草廬（しゅんそうろ）**の蹲踞】** 横浜、三溪園の内苑西南隅にある茶席で、別名を九窓庵とも呼ぶ。元々は織田有楽が伏見城内に造営したものと伝え、宇治の茶商の上林家から、同地の三室戸寺山内の金蔵院を経て大正七年に三溪園に移築された。手水鉢は自然石で向鉢の形式に組み、役石は大ぶりなものを使用。

【如庵（じょあん）**の蹲踞】** 愛知県犬山の有楽苑内にある名席。元々は京都、建仁寺の正伝院に織田有楽がその晩年に営んだもの。のち三井家の所有となり、東京、大磯へと移り、昭和四十七年に現在地に移築。手水鉢は「釜山海（ふざんかい）」と呼ばれ、加藤清正が朝鮮出兵の際に釜山浦から持ち帰り、豊臣秀吉に贈り、後に有楽に与えたと伝える。釜山海と右側に陰刻され、水穴に自然の凹みを利用した海石。

【書院式手水鉢】 独立した草庵茶席前に構えた蹲踞を「草庵式手水鉢」というのに対し、この手水鉢は、書院座敷の縁先や禅院の方丈、客殿の落縁の一隅に濡縁を増設するなどして手水鉢を配したもの。手水鉢の周辺に役石を配し、鉢明かりに軒から釣り下げた金燈籠を用いるケースが多い。一般的には「縁先手水鉢」と称し、全体の構成を鉢前（はちまえ）と呼ぶ。日本の建築と庭園の総合美はこの鉢前の景趣に負うところが多い。

【賞花亭（しょうかてい）の蹲踞】 桂離宮の古書院正面の池泉越しに見える丘の上に建つ茶屋。手水鉢は五輪塔の水輪の部分を利用した鉄鉢形といわれるもので、平坦な台石の上に据えている。

【松花堂（しょうかどう）の蹲踞】 京都、八幡市にある松花堂の露地。手水鉢は向鉢形式に据え、役石も定石どおりに配し、水門には吾呂太石を敷き、古瓦も置いている。この手水鉢は松花堂昭乗遺愛と伝える。

【松琴亭（しょうきんてい）の蹲踞】 桂離宮の腰掛待合の一つである卍（まんじ）亭から石橋を渡った先に建つのが松琴亭。その石橋の脇にあるのがこの蹲踞で、「流れの手水」ともいわれている。池畔の石段を降り、沢飛を進んだ先の石の上に手桶を置いたらしいが、当初は桂川の清流を引いた池の水を直に汲み出し、手水として使ったとも考えられる。

【松月亭（しょうげつてい）の蹲踞】 京都、醍醐三宝院の宸殿北に池泉に面した茶席。その蹲踞は池泉の護岸近くに配し、前石を護岸と一体化させ、役石も水門もなく、円柱形の手水鉢が水面に浮かんだように見える。

【湘南亭(しょうなんてい)**の蹲踞】** 京都、松尾の西芳寺にある茶席、湘南亭は、千利休の嗣子少庵が晩年に営んだもの。貴人口前の軒内の縁に前石を配し、手水鉢を抱くように役石は低く据えている。蹲踞周辺は青苔と老松の根で覆われ、水門は小玉石を五個並べ、自然そのものの景趣を見せている。

【水琴窟(すいきんくつ)**の蹲踞】** 水門、いわゆる海の地下部分に水甕を伏せて埋設し、水門から落ちる水滴を内部で反響させ、その妙音を楽しむ。本書、水琴窟をつくるの項参照。

【青岸寺(せいがんじ)**の井戸蹲踞】** 滋賀、米原町の青岸寺庭園の蹲踞は湧水をそのままに利用したもので、湧水の周辺を石積で囲み、縁の一部を石段にして水面近くまで降りて手水に浸かるという趣向である。

【青蓮榭(せいれんしゃ)**と澆花**(ぎょうか)**亭の蹲踞】** 京都、西本願寺内滴翠園の茶席、青蓮榭の手水鉢は枯流れの中に配置され、水門もその枯流れの一部にあり、役石も護岸の一部に組み込まれている。澆花亭はその奥にあって手水鉢には桝形のやや大ぶりなものを配している。

【石塔笠石の手水鉢】 石塔の笠石を逆さにし、水穴を開けた手水鉢。

【石塔基礎の手水鉢】 宝篋印塔など石塔の基礎部分に水穴を開けて手水鉢にしたもの。

【夕佳亭(せっかてい)**の蹲踞】** 京都、衣笠山の麓、金閣寺で知られる鹿苑寺内にある金森宗和好みの茶席。手水鉢は自然石の富士形として代表的なもので、地上高、約五十五《センチメートル》、幅、約六十《センチメートル》。鉢明かりは宗和形燈籠。

た

【待庵(たいあん)**の蹲踞】** 京都、大山崎の妙喜庵内に千利休が天正年間に建てたと伝える待庵がある。妙喜庵の書院に付属した茶席で二畳台目の隅炉。露地には袖摺松と芝山の手水鉢があったというが、現在の手水鉢は丸形を向鉢に据えたものになっている。鉢明かりは桐の模様を刻んだ笠石に橋杭を胴に見立てたもの。

【大虚庵(たいこあん)**の蹲踞】** 京都、鷹ヶ峯の光悦寺内の茶席、大虚庵の手水鉢は別名を「薄墨の手水鉢」とも呼ばれ、本阿弥光悦遺愛のものと伝えている。光悦は徳川家康から鷹ヶ峯一帯を与えられ、当時の工芸家を集めて住まわせ、自ら芸術三昧の日々を暮らした。光悦はその屋敷内に大虚庵を営んだといわれ、現在のものは後世の再建。

【長闇堂(ちょうあんどう)**の蹲踞】** 奈良、佐保山の麓、興福院内の長闇堂碑前にある。手水鉢は松花堂、片桐石州、小堀遠州などと交流のあった久保権太夫利世遺愛と伝えている。

【椿山荘内、長松亭(ちょうしょうてい)**の蹲踞】** 東京、文京区の椿山荘内の池泉に面した茶席で、手水鉢は池畔にある。役石も池の護岸に組み込まれ、特に前石は池の汀にあって手水が使えるように配している。池の畔にある蹲踞としては東京都内では珍しい。

【庭玉軒(ていぎょくけん)**の内蹲踞】** 京都、大徳寺の真珠庵にある庭玉軒は金森宗和の好みと伝えられるもので内蹲踞の形式を取っている。従って露地から潜口をはいった土間の隅に手水鉢が配してあり、前石と添石と踏石を添えて組んでいる。

【手燭石(てしょくいし)**】** 夜の茶会に燭台を置く石で湯桶石とともに蹲踞の役石。

【鉄鉢形(てっぱつがた)**手水鉢】** 原形は湧玉形と同じで、禅僧が托鉢に用いる鉄鉢の形をかたどったものと考えられる。地紋のような彫刻を施したものもある。

【桐蔭(とういん)**席の蹲踞】** 京都、東山阿弥陀ヶ峰の麓、太閤坦(たいこうだいら)にある茶席。裏千家好みだが、蹲踞は半円形の板石二枚を少しずらして前石にしているのが特徴。手水鉢は向鉢に据え、鉢明かりには織部形燈籠を用いている。

【東陽坊（とうようぼう）の蹲踞】 京都、建仁寺方丈裏手にある二畳台目の茶席。元は豊臣秀吉が催した北野松原での大茶会のとき東陽坊長盛が建てた茶席と伝え、利休好みの古い形式を示す。蹲踞は茶席の移築にともない、戦後の作であるが向鉢の形式に据え、水門には吾呂太石を敷き詰め、その景趣は侘びている。

な

【中鉢（なかばち）】 石造物の一部に手を加えて手水鉢に加工したものは、海の真中に据えた台石の上に配置すると鉢全体が四方から見える。これに対し自然石の手水鉢を蹲踞に用いる場合、前石の向こう正面に据える向鉢（むこうばち）形式となる。

【流れの蹲踞】 沢や渓流を模した流れの中へ手水鉢を据えたもの。

【棗形（なつめがた）の手水鉢】 茶の湯の薄茶を入れる漆塗りの容器の「棗」の形態を模した手水鉢。代表的なものには、妙心寺の玉鳳院歩廊の隅にある手水鉢があり、これは玉鳳院形ともいわれる。

は

【八窓庵（はっそうあん）の蹲踞】 京都、一乗寺の曼殊院内、書院裏手にある茶席の蹲踞。方形の手水鉢を低く据え、表面は粗く仕上げたもので、役石や周辺の植栽も低い扱いとなっている。

【金地院、八窓（はっそう）席の蹲踞】 京都、南禅寺内、金地院の八窓席は、寛永年間に金地院崇伝の依頼によって小堀遠州の趣向で建てたものといわれ、現存する遠州好みの席では代表的なものである。この露地にある蹲踞は、自然石の手水鉢を向鉢に配し、水門へは小粒の玉石を敷き、吾呂太石を重ねている。

【半床庵（はんしょうあん）の蹲踞】 東京、文京区千駄木の旧久米邸にあった久田宗全好みの茶席。手水鉢は丸みを帯びた自然石。元は名古屋市にあったが大正十年にここへ移築し、手水鉢も移したといわれる。武者小路千家の東京道場として使われてもきた。

【飛濤亭（ひとうてい）の蹲踞】京都、御室の仁和寺宸殿の北側やや小高い築山にある茶席は、光格天皇好みといわれる。その貴人口前にあるのがこの蹲踞。手水鉢はやや方形で、水穴は上面をわずかに凹ませた中央に円形の穴を掘ったもの。

【方形袈裟形の手水鉢】立方体を基本にして四周に袈裟形の文様を刻んだもので、その代表が銀閣寺東求堂脇にある手水鉢。

【豊秀舎（ほうしゅうしゃ）の蹲踞】京都、豊国神社境内社務所の裏の三畳台目の茶席の蹲踞。藪内竹窓好みで、野村得庵が寄進したもの。手水鉢は伽藍石の天端をわずかに加工して水穴を開けている。前石は大伽藍石の破片を巧みに配したワイルドな構成の中鉢形式である。

【孤篷庵内、忘筌（ぼうせん）の手水鉢】京都、大徳寺内の孤篷庵は、小堀遠州が慶長十七年に龍光院内に建てたのが最初。寛永二十年にここへ移築したが、その後に火災で一部を焼失、松平不昧によって復興された茶席。その中でも忘筌の席は遠州好みとして代表的な茶席。下部が開放され、上部を障子とした「舟入板の間」の縁先に据えてあるのが著名な「露結（ろけつ）」の手水鉢。露結とは「兎を得て筌を忘るる」にちなんで露結耳、つまり兎を表したもの。この手水鉢の背後には、三国伝来と伝える寄せ燈籠がある。縁先手水鉢だが、蹲踞の手水鉢にもその多くが使われている。

【方柱形の手水鉢】角柱状の手水鉢で、正面に「星」の字を刻んだものは方星宿（ほうせいしゅく）と呼び、水穴は円形。

【本法寺（ほんぽうじ）の蹲踞】京都、堀川寺之内の本法寺には著名な本阿弥光悦作の三巴（みつどもえ）の庭がある。この庭の傍らにある蹲踞。下部が張り出した自然石の手水鉢には楕円形の水穴が開いている。

ま

【桝形（ますがた）手水鉢】 立方体で背の低い桝形をした手水鉢。水穴は円形に開けたものが多く、稀に菱形のものもある。

【水掘石（みずぼれいし）の手水鉢】 長い年月にわたって小石が渓流の底の石に穴を開けた甌穴（おうけつ）の石を手水鉢としたもの。

【見立ての手水鉢】 古い伽藍石や石塔その他の石造遺品の断片やその一部を利用してこれに水穴を掘った手水鉢。もしくは多少人工的に加工したものや、まったく加工しないで枘穴（ほぞあな）をそのままに水穴としたものもある。見立てものとしては、四方仏・梟（ふくろう）形・袈裟形・橋杭形・基礎石形・伽藍石形・地輪形・笠石形がある。その他に鉄や銅などの金属で制作した水盤を手水鉢に活用した例も少なくはない。また、陶磁器でつくった水盤もあり、見立てものの種類は非常に数が多い。

【密庵（みったん）席の蹲踞】 京都、大徳寺の龍光院にある小堀遠州好みと伝える茶席。その蹲踞の手水鉢は伽藍石で、水穴は隅を丸くし方形に開けたもの。

【向鉢（むこうばち）】 中鉢の項を参照。

【椿山荘内、無茶庵（むちゃあん）の蹲踞】 東京、椿山荘内にある無茶庵の蹲踞は、湧玉形手水鉢を台石の上に高く配した中鉢形式。正面に「華経」の二字を陰刻してある。

【明々庵（めいめいあん）の蹲踞】 もと島根、松江市の有沢山荘内にあった茶席で松平不昧好みといわれる。台石の上に据えた手水鉢は水壺形に整形加工したものを用いている。

や

【湯桶石（ゆとうせき）】「ゆおけいし」とも呼ぶ。冬季に湯を張った手桶を置く蹲踞の役石。

【澱看（よどみ）席の蹲踞】 京都、黒谷の西翁院で淀が望めるところから、澱（淀）看と呼ぶ茶席に構えた蹲踞。茶席も手水鉢も藤村庸軒遺愛と伝えられ、直径四十センチメートルとやや小ぶり。石塔の塔身を水鉢に見立てたものだが、向鉢形式に据えている。

ら

【遼廓亭（りょうかくてい）の蹲踞】 京都、御室の仁和寺の宸殿の西北部にこの茶席はある。席は三畳半の小間と四畳半の広間と水屋があり、広間前の蹲踞は、四方仏形の手水鉢。鉢明かりの燈籠は護岸石組に組み込まれている。その一方、小間の蹲踞は躙口前にあり、自然石の手水鉢に比べ、湯桶石は幾分高く据えている。

【蓮華院（れんげいん）の蹲踞】 横浜、三溪園内の蓮華院にある茶席前の蹲踞。手水鉢には井筒を用い、周囲は小流れとして野趣的にまとめている。

【六窓庵（ろくそうあん）の蹲踞】 東京、上野の国立博物館の裏手にある六窓庵。この露地の蹲踞に用いている四方仏の手水鉢は、元々山城国法性寺にあった石塔の一部であり、その後、足利義政が慈照寺東求堂の手水鉢として愛用し、ついで利休も愛玩したと伝えるもの。天保年間に慈照寺から武部了幽が譲り受け、後に琮阿弥（そうあみ）に伝え、明治十八年に現在地に移った。

わ

【湧玉形（わくだまがた）手水鉢】 本来は五輪塔の水輪を利用した見立てものだったが、やがてわざわざその形につくり出すようになった。正面に「湧玉」の文字を刻んだものもあり、水穴は蜜柑掘としたものが多い。「ゆうぎょくがた」ともいう。

参考文献

北尾春道著＝『露地・茶庭』彰国社刊

北尾春道著＝『つくばい百趣』河原書店刊他

あとがき

蹲踞の主人公は考えるまでもなく手水鉢でしょう。

それだけに手水鉢にはさまざまな名を冠したものがあります。

手水鉢に限らず、庭を構成する材料や手法にも多岐にわたって名が付けられ、現代まで語り続けられてきたものや逆に長い歴史の中で埋もれてしまったものもあります。また、奇跡的に蘇ったものさえあります。水琴窟がそうです。

名が付くということは、付けた人に何かしらの感動を与えたからで、いわば人とモノとの交流が濃厚で豊かでなければ、名を付けるまでには至らないでしょう。しかも付いた名が第三者の胸を打たなければその名は時空を超えて現代まで伝わってこなかったでしょう。これは文化の一側面だと考えられます。

多くの方々のご協力があって、やっとこのシリーズも第三巻目を数えるまでになりました。関係者のみなさまに深く感謝する次第です。

二〇〇三年八月二十七日

編　者

ガーデン・テクニカル・シリーズ❸
身も心も清める水の力 蹲踞作法
平成15年10月20日　初版第1刷発行
平成29年1月20日　第4刷発行

企画・制作　龍居庭園研究所
発行人　馬場栄一
発行所　株式会社 建築資料研究社
〒171-0014東京都豊島区池袋2-38-2
COSMY-I 4F
電話 03-3986-3239 Fax 03-3987-3256
http://www2.ksknet.co.jp/book/

印刷所　大日本印刷株式会社

落丁・乱丁はお取り替えいたします。

ISBN978-4-87460-806-7
定価はカバーに表示してあります。

『庭』臨時増刊号バックナンバー紹介

企画・編集　(有)龍居庭園研究所　発行・建築資料研究社　●A4判

小庭の心と技

やすらぎを求める小庭／石造品を楽しむ小庭／魅惑の石造品を近畿地方に探る／京の庭木手入れにまつわることば／重森三玲の庭園研究と創作／古稀を迎えた京都林泉協会／京に心とめた異色の巨匠／その他

平成十四年十月一日刊　一六八頁　二、九四〇円

美しい庭・心いやす庭

暮らしを豊かにする心いやす庭／茶心を現代に活かす庭／露地と蹲踞のたたずまい：露地のありよう・蹲踞と小道具／庭に見る冬化粧　ワラボッチの制作／旧文再見：先人たちが語る庭園への想い／その他

平成十三年十二月一日刊　一九二頁　三、五七〇円

現代庭園の造形美

現代庭園の潮流／庭園デザイナー4人による庭の世界：岡田憲久・糟谷護・伊藤良將・溝口三三／現代的造形美の先駆者　後藤石水の造形美／石水二代が残した庭の数々／旧文再見：先人たちの声／その他

平成十二年十二月一日刊　一九二頁　三、五七〇円

華麗と数寄の庭

岩城造園作品選／モノクロで見る　岩城造園半世紀／聞き書：私の庭づくり／岩城二代の作庭語録／座談会　岩城造園今昔物語／庭づくり雑感／昭和の綺麗さび／作品リスト抄／その他

平成十一年二月十五日刊　一九二頁　三、五七〇円

日本の庭の魅力

現代に息づく庭の魅力／先人の生んだ庭の魅力：荒木芳邦作品・蛭田貫二作品・井上卓之作品／旧文再見：63年前の日米庭園親善記　アメリカガーデンクラブ日本での21日／作庭家のプロフィール／その他

平成十年六月五日刊　一九二頁　三、五七〇円

茶の庭　すまいの庭

庭の美と豊かさ／茶の庭　すまいの庭40題／作庭家リスト／茶の庭(露地)の形と演出　茶の庭の成り立ちと演出の数々：茶の庭(露地)の構成要素／名庭に見るテクニック　現代に伝わる作庭技法から／その他

平成十年三月三十日刊　一九二頁　三、五七〇円

日本の庭園美

現代の技を見る／先人たちの技再見：飯田十基作品・斉藤勝雄作品・岩城亘太郎作品・小形研三作品／庭づくりは人づくり／庭を学び人を学ぶ／日本の庭のエッセンス／日本の文化財の庭／日本の庭園美／その他

平成八年十月十五日刊　一九二頁　三、二六二円

岩城亘太郎作庭90年

90年の決算　鳳琳カントリー倶楽部の庭／露地に見る岩城芸術／図面から庭をさぐる／私の庭づくり：現代の庭園・伝統と継承・人工地盤の庭／90年の作品をふり返る／岩城亘太郎聞き書／その他

平成二年四月二十五日刊　一九二頁　三、二六二円